LES FRUITS
DU CYCLONE

L'Isolé Soleil
roman
Seuil, 1981

Soufrières
roman
Seuil, 1987

L'Île et une nuit
roman
Seuil, 1996

L'Invention des désirades
poésie
Présence africaine, 2000

Tu, c'est l'enfance
récit
Gallimard, coll. « Haute enfance », 2004

DANIEL MAXIMIN

LES FRUITS
DU CYCLONE

Une géopoétique de la Caraïbe

ÉDITIONS DU SEUIL

27, rue Jacob, Paris VIᵉ

ISBN : 2-02-063095-8

© Éditions du Seuil, février 2006

www.seuil.com

Une grande partie de cet ouvrage a été composée
en collaboration avec VALÉRIE PICAUDÉ-BARABAN,
essayiste et philosophe, qui a réalisé
plusieurs entretiens thématiques avec l'auteur.

Tu m'as donné un roseau, c'est-à-dire un stylo

Hélène Cixous

I
Les chaînes et les roseaux :
quatre continents pour édifier une île

Présences, je ne ferai pas avec le monde ma paix sur votre dos
Îles cicatrices des eaux
Îles évidences de blessures
Îles miettes
Îles informes
Îles mauvais papier déchiré sur les eaux
Îles tronçons côte à côte fichés sur l'épée flambée du soleil

Aimé Césaire

Ma Caraïbe est telle :

un archipel d'îles-roseaux nées de la résistance aux chaînes, brûlant les racines absentes en un feu sans foyer posé fier sur trois roches pour bricoler une humanité neuve et se forger des cœurs aux quatre sangs dispersés : l'Europe par erreur sans son humanité, l'Afrique en friche d'échardes et de rayons, l'Asie plus tard migrée, l'Amérique par et pour nous-mêmes recouvrée : quatre continents pour édifier une île.

Antilles, ailes amerries : c'est là que je suis né.

Îles interdites de retour sur leurs passés continentaux, de mythes d'origine, sans rhapsodes ni griots pour la lamentation et la célébration, acculées à des bricolages entre l'inédit et l'improvisé, édifiant toute genèse sur des débris de mémoire arrachés aux exodes.

Toute une humanité assoiffée de liberté, échappée des cales de l'enfer pour s'abreuver au soleil des résistances fertiles, chanter en cœur-solo l'espérance et la liberté, plier sans rompre sous l'ouragan d'outrages. Partout et toujours, la Caraïbe le proclame par la voix de tous ses poètes : nous sommes « la plaie phosphorescente d'une insondable source » (Jacques Roumain d'Haïti), « une dent mal chaussée sur l'éclatant dentier des Caraïbes » (Guy Tirolien de la Guadeloupe), héritiers sans-papiers de « ces banlieues minables des Édens maudits qu'un rien ferait basculer vers le bonheur »,

13

dont parlait à Fort-de-France Gilbert Gratiant dès les années 1920, bien compris par son élève Aimé Césaire : «Du bas de la fosse, c'est de là que nous partons, et c'est d'une remontée non pareille dont je vous parle!»

Poètes, conteurs, danseurs et musiciens ont ainsi déraciné les consciences hors des raques et des mangroves, découvrant les nations bien cachées derrière les paysages.

Fragile Caraïbe, sans l'espace des continents, sans le temps de composer avec un passé décomposé. Puissante Mère-Caraïbe pourtant, édifiant contre l'immense océan Atlantique un archipel d'accueil pour ses îles naufragées, s'imposant l'espérance folle de sucrer les fruits à venir avec la sueur des douleurs et des résistances. Îles pliées sous les ouragans, noyées sous les raz-de-marée, fracturées par les séismes, grillées vives par leurs volcans. Avec une histoire qui s'est acharnée à imiter en tout point ces quatre cataclysmes de la géographie, sans même la rémission et les refuges que sait aussi offrir l'archipel caraïbe avec sa nature si généreuse aussi en sources et en rayons, en brises et en floraisons.

C'est pourquoi, à partir de tout ce que je vois, j'écoute, je lis, je danse, l'image qui me semble convenir à propos des îles de la Caraïbe est celle de peuples-roseaux, échappés des chênaies, des déserts, des savanes et des jungles originelles des quatre continents. Sans l'espace d'une géologie sûre, ni le temps des généalogies. Mais sans l'arrogance du chêne de la fable, si assuré de ses racines pour contrer l'air et le temps, seul maître d'un discours *omniscient et naïf* face à la silencieuse résistance du plus puissant roseau.

L'identité, ce ne sont pas les racines qui l'expriment. Car l'identité, c'est un fruit.

Et les humains ne sont pas des arbres : ils savent renaître après les déracinements, édifier après les arrachements, féconder l'île déserte après les naufrages, s'enraciner comme Caliban et Vendredi, et encrer les feuilles blanchies pour faire récit de l'impensable et de l'inespéré.

Et c'est de l'éclat de notre apocalypse que je veux faire récit. Suivre le tracé d'une histoire de femmes et d'hommes qui ont su résister au déni des corps et des âmes achetés et revendus, défier les claustrations, les débrouilles et les préjugés, s'imposer le marronnage légitime de l'oppression, déjouer les maux d'aliénation, ne pas craindre de désigner l'innommable et d'improviser le merveilleux, l'héritage du viol et de l'amour, dans toutes les premières langues et les dernières musiques à portée de leurs bouches écrasées d'ombre et lumineuses de soleil.

Trop souvent la Caraïbe est considérée comme un paradis de nature, une géographie de rêve au milieu d'une humanité de seconde classe. Alors qu'au contraire elle s'est édifiée en synthèse riche de mémoire et d'improvisation, d'exil et de natal, de blessures de l'histoire et de l'isolement. Parole du poète Césaire au politique incrédule : « Ce n'est pas un paysage, c'est un pays, ce n'est pas une population, c'est un peuple ! »

Aucun critère de race, d'ethnie, de religion, de langue, de terroir ou de patrie ne suffit en effet à lui seul à dire la nature spécifique de nos identités, nées des métissages imposés par les vols de l'histoire ou choisis par amour de vivre libre.

Il apparaît clairement dans ce concentré d'histoires blessées que l'on ne peut les définir que par ce qu'elles ont créé : des sociétés et des cultures issues non directement de l'esclavage, mais essentiellement de la résistance à l'esclavage et des combats pour son abolition. « Je ne suis pas esclave de l'esclavage qui déshumanisa mes pères » : telle est la puissante affirmation de Frantz Fanon pour saluer la naissance des humanités neuves qu'ont bâties tous ceux qui se savent caribéens.

Aussi, de la même manière, le souci de tout artiste et de tout écrivain antillais consiste à créer du neuf à partir de ses racines multiples, à ajouter « une teinte inédite à l'arc-en-ciel », comme l'annonçait le poète guadeloupéen Paul Niger. Il ne s'agit donc pas de faire le tri des trous de mémoire avec l'Afrique, avec l'Europe, avec l'Asie, en Amérique. Il s'agit encore moins de refuser l'un ou l'autre de ces héritages, comme on a pu le faire à chaque époque, révoquant tantôt l'Afrique, tantôt l'Europe. Mais il s'agit au contraire de renier toute espèce de mutilation de ces nombreux héritages imposés ou choisis, et de les dépasser une fois qu'ils ont été pleinement reconnus et assumés. La soumission aux héritages n'est jamais un devoir de fidélité imposée, et déjouer la partition des pères est le droit que se donne tout musicien caribéen. Et la mémoire de l'humour natal vient effacer toute angoisse mortifère d'une perte de l'identité originelle, comme chez le Cubain Nicolás Guillén.

C'est indirectement la même attitude que l'on retrouve chez Saint-John Perse, qui, dans une lettre de jeunesse à Valery Larbaud, exprime son déni de l'exotisme, son refus d'être réduit à son origine de fils de colon guadeloupéen, et sa certitude déjà affichée du rejet de tout retour au pays natal, attitude qui traduit paradoxalement une irréductible antillanité, faite justement de lien avec les éléments, de déracinement assumé et d'ouverture aux vents de tous les continents, qui ne peut provenir que du profond enracinement en lui des leçons de son enfance guadeloupéenne :

> Je vous remercie par-dessus tout d'avoir pensé à me défendre, littérairement, contre l'« exotisme ». Toute localisation me semble odieuse, aussi bien que toute datation, pour nos pauvres fêtes de l'esprit. Autant que d'inactualité,

j'ai toujours eu grand besoin d'affranchissement du lieu, et si je tiens encore, pour une simple question de lumière, à un certain degré de latitude en ceinture à tout notre globe, je hais cordialement toute longitude. Des Antillais même pourraient penser, non de mes poèmes, qui sont tout simplement français, ni de mes thèmes, qui furent toujours étroitement vécus, mais de mon attitude humaine, antérieure au songe de la vie, qu'il y a là plus d'océanien, ou d'asiatique, ou d'africain, ou de toute autre chose, que d'antillais.

Comprenez-vous combien m'a pu ravir l'étrange intuition qui vous porte, poète, à me faire don en fin d'article d'une simple phrase comme celle-ci, ventilant par mon gré toute l'aire primitive du poète : « Les quatre éléments, les animaux, les plantes, les pierres, la chasse, la guerre et les passions des hommes… »

Les cultures caribéennes se caractérisent ainsi par le refus de tout encerclement, de toute injonction esthétique ou idéologique, autre que l'exigence de liberté. Contre les prisons des styles, des langues, des genres, des manifestes littéraires, plastiques ou musicaux. Et de la victoire sur la pesanteur des ressentiments. « Le plus grand danger pour les écrivains ex-colonisés serait de se devoir de quelque chose d'éphémère comme la colère pour créer une littérature », rappelle le poète de Sainte-Lucie, Derek Walcott, comme aussi Saint-John Perse l'avait indiqué en son *Exil* : « Je vous dirai tout bas le nom de sources où, demain, nous baignerons un pur courroux. »

Sans les assurances et les pesanteurs des lois des origines, la tradition consiste à transformer sans cesse toute tradition en modernité aventurée. Par exemple, dans l'espace en apparence réduit d'un même livre, on passe du conte au récit réaliste, de la fable à l'histoire, d'une envolée poétique au témoignage historique enrichi d'appels à l'imagination.

Le modèle de cette tradition revisitée, c'est à l'évidence celui proposé par le conteur antillais, héritier du griot et du troubadour, mais griot sans généalogie, rhapsode sans épopée, troubadour sans château fort, qui rassemble en sa performance nocturne un condensé de tous les arts du corps : conte, poème, danse et musique, et de toutes leurs finalités : morale, histoire, distraction, jeu créateur de mémoire et d'oubli. Par les soirs de veillée, le conteur antillais essaie d'abord d'entraîner son auditoire dans un ailleurs qu'il recrée par un savant mélange d'imaginaire et de quotidienneté.

Mais juste au moment où chaque spectateur attentif va se perdre dans le mythe collectif ou dans un paradis intérieur, voilà que le conteur l'interpelle avec la fameuse interjection : «Cric...» sollicitant la réponse immédiate du public qui ne doit pas se laisser surprendre : «Crac...» suivie de : «Est-ce que la cour dort ?» à laquelle il faut répondre : «Non, la cour ne dort pas !» Voilà donc que le conteur nous ramène à l'ici et au maintenant, non pas la cour du roi, mais la cour du village ou celle de l'école, au débouché des rues Cases-Nègres, pour mieux nous rappeler que tout rêve doit se préoccuper de son réveil.

«Cric... Crac...» : Voilà que le conteur nous dit : N'oubliez pas d'accompagner mon imaginaire avec votre réalité ! Au moment où nous étions déjà très loin à arbitrer les joutes symboliques entre Compère Tigre et Compère Lapin, entre Colibri et Poisson-armé, le conteur nous renvoie à la réalité, à savoir que nous sommes assis un soir dans la cour à nous laisser bercer par sa musique, à nous laisser berner par sa parole. Impossible d'oublier que même l'esprit ailleurs nous sommes bien là, et que nous avons à assumer notre présence, ici dans cette île, dans ce pays, dans cette nuit chaude, à jouer avec nos soifs de mémoire et nos soifs d'oubli. Telle est sans doute sur ce modèle du conte antillais la signification morale de cette culture : elle est le contraire d'un art d'évasion, qui laisserait l'imagination prospérer sur le dos de l'histoire.

Par ailleurs, toujours au cours de la veillée, arrive le moment où le conteur s'élance à toute vitesse dans de grandes envolées d'assonances verbales, où l'auditeur ne comprend plus rien de ce qui lui est raconté alors que le simple ralenti révélerait un message parfaitement signifiant. Autrement dit, on est passé du texte au chant, à une performance de gymnastique sonore. La langue abdique son message au profit de sa seule musicalité. La performance du conteur est alors applaudie le plus fortement à ce moment-là, celui de la victoire des musiques cachées sous les sens propres, de la victoire de l'incantation sonore sur les langues trop policées pour être respectées, la maîtrise rabelaisienne du conteur étant célébrée comme le secret défi aux maîtres de la langue, comme en préhistoire de rap et d'oulipo. Et c'est d'ailleurs dans ces instants surtout que le conteur passe au français, comme preuve de la liberté et de la maîtrise populaire qui sait se jouer de ce que d'autres plus cultivés prennent encore pour de l'aliénation à la langue du maître, pourtant si bel et bien *dérespectée*.

« Cric », « crac » : et ici le contexte investit le texte. L'existence du conteur pénètre l'essence du conte, et de l'auditoire qui ne doit pas s'en laisser conter. La profération du signe appelle en douce au dépassement du seul sens proféré. Et la cour se signale à elle-même qu'elle ne fait que semblant de dormir et d'entendre. Cela vaut sans doute pour tous les contes du monde depuis mille et une nuits qu'ils sont proférés pour endormir et réveiller à la fois. Mais ici, où rien n'a jamais été de soi ni pour soi, le conte demande au conteur de dire à haute voix ce qu'il cache, exhorte le public à donner aussi de la voix, car trop de choses ont injustement été cachées, ou brisées. Comme si le conte se devait de renaître ici même après la mort de Shéhérazade là-bas, après le silence imposé, avec sa renaissance ici en conteuse antillaise, non pas pour divertir le prince, mais pour avertir *la cour*.

Ainsi, alors que la forte implication sociale et politique des pratiques culturelles de ces sociétés pourrait donner à croire qu'elles se dissolvent dans un souci de réalisme artistique, pour l'obligé témoignage des réalités historiques et sociales, on constate qu'elles se caractérisent au contraire par un puissant souci esthétique, une vigilance du geste formel, à l'image du conteur, du poète, du danseur et du tambourineur, qui face aux rouages des fatalités préservent dans la machine historique le jeu avec l'imaginaire comme règle de libération.

Si la Caraïbe était un animal, pour moi à l'évidence elle serait le colibri. L'oiseau danseur toujours associé au crapaud-tambourineur, figure du paysan-musicien, du va-nu-pieds joueur du tambour-Ka, l'animal crotté et méprisé mais grâce à qui le colibri vole, lutte, combat toutes les forces du mal qui viennent l'attaquer. Ce couple provient d'un conte antillais originaire et originel, le *Conte colibri,* recueilli à la fin du XIXe siècle par Lafcadio Hearn. Dans ce conte, le colibri attaqué par les envoyés de Bon-Dié blanc : Bœuf, Cheval, et Poisson-armé, résiste puissamment mais finit par périr au troisième combat, malgré l'énergie transmise par le tambour de Crapaud. Mais en même temps, c'est la victoire de la résistance. L'oiseau-mouche vif, rapide, coloré et moiré, est aussi un symbole de très grande puissance sans poids ni pesanteur, irréductible à la soumission, au besoin jusqu'à la mort, et parfois même au-delà puisque chez certains peuples amérindiens l'âme des guerriers morts allait s'établir au cœur des colibris.

Le colibri dispose de cette puissance guerrière, mais dans toute sa liberté et sa beauté, car il est léger comme un papillon, et peut ainsi à la différence des autres oiseaux trop lourds aspirer le pollen des fleurs. Il a cette puissance qui consiste à ne pas peser sur la pesanteur, autant pour attaquer l'ennemi en flèche que pour faire du surplace comme un hélicoptère afin de butiner les fleurs sans les toucher. Puissance de résistance, de médiation et de recréation. Le colibri du conte s'est défendu contre ses agresseurs terriens, mais son but n'était pas de devenir dieu ni maître, bœuf ni cheval. On verra que ce modèle n'est pas sans éclairer les particularités des consciences politiques dans ces régions, sociétés d'abord civiles et « sans État », dont l'édification originelle s'affirma même contre l'État et l'arbitraire colonial, dans un temps antérieur à l'État de droit que seul leur combat légitime fut en mesure de fonder.

Avec le colibri pour emblème, la Caraïbe s'invente une forme humaine, et manifeste au grand ciel l'exigence de puissance et de fragilité mêlées de son *habeas corpus*.

De plus, le colibri construit un nid qui est l'un des plus beaux et des plus délicats de la création, à partir de bribes colorées qu'il picore tant dans la nature que chez les humains. C'est un bricoleur de nid : avec un bout de coton volé, des résidus, des brindilles, une allumette, un morceau de ficelle, le colibri édifie son refuge, résultat d'un métissage de débris. Entre nature et culture, il fabrique un havre de beauté pour sa protection et l'avenir de sa descendance, cimenté avec des riens puissamment synthétisés, résistant comme un nid d'aigle face aux ouragans.

J'ai assisté un beau soir à la genèse d'un poème d'Aimé Césaire, au moment où nous préparions l'édition de son nouveau recueil : *Moi, laminaire...* en 1981. À partir d'une conversation sur le pas de sa porte, précisément sur ce thème de l'édification de nos peuples avec des *débris de synthèses* :

fétus glanés, bouts de ficelle volés, rognures, restes récupérés. Quelques jours plus tard, le poète me remettait pour l'éditeur ce nouveau poème à ajouter : « Maillon de la cadène » :

>   avec des bouts de ficelle
>   avec des rognures de bois
>   avec de tout tous les morceaux bas
>   avec les coups bas
>   avec des feuilles mortes ramassées à la pelle
>   avec des restants de draps
>   avec des lassos lacérés
>   avec des mailles forcées de cadène
>   avec des ossements de murènes
>   avec des fouets arrachés
>   avec des conques marines
>   avec des drapeaux et des tombes dépareillées
>   par rhombes
>   et trombes
>   bâtir pour toi une destinée.

Plus tard, à la correction des épreuves, Aimé Césaire me demanda de transmettre cette ultime modification : remplacer le dernier vers simplement par : « te bâtir ».

Sans doute aucun, pour lui ses Antilles étaient ainsi mieux définies, par simple injonction d'évidence : édifiées par elles-mêmes, sans phrases, sans prétendre au grand mot de destinée. « Les îles sont d'avant l'homme, ou pour après », écrivait Deleuze. Le défi caribéen a été de tenter de bâtir pour l'homme sur l'île désertée d'humanité par l'homme, une île qui tente de *se bâtir* à la fois colibri et nid de colibri.

Il faut noter cependant le paradoxe pathétique du nid du colibri : c'est de son invisibilité surtout qu'il tire sa vraie puissance et sa sécurité. Beauté cachée, oiseau inatteignable, jamais posé sur son désir, jamais visiblement reposé pour la jouissance de son désir, passant trop rapide pour se laisser observer, trop furtif pour les regards sereins, trop sur ses gardes pour se poser car très fin connaisseur des pièges et des dangers. Ainsi la beauté des rythmes fondateurs se cache sous le masque de la plus grande laideur du crapaud, comme l'énergie des résistances et des élans se cache dans le cœur puissant du plus petit oiseau de la création. Et, comme lui, la Caraïbe, qui sait son temps et son espace trop mesurés, toujours menacés, pratique l'art du masquage, du détour, du déplacement, du grand jeu de cache-cache de ses rêves, de ses réalités, de ses beautés, de ses espoirs et de ses désespoirs, de ses vitalités, au point qu'elle semble réserver l'expression de son authenticité aux moments où elle est sûre de vivre sans être vue : à savoir *le temps du carnaval,* jours de vraie jouissance de liberté que même les siècles de l'esclavage n'ont jamais pu réduire, et *l'espace du marronnage,* à savoir la fuite dans les lieux sûrs cachés de la nature pour édifier les refuges, la « petite Guinée » inaccessible aux chiens et aux colons. Comme si, aux Antilles, le masque était partout et toujours la condition nécessaire et la seule garantie d'épanouissement de l'identité dans des sociétés qui se sont édifiées dès l'origine sous la surveillance du regard ennemi, sous le regard hostile ou incrédule de l'autre, sous l'œil du maître et du soleil-roi, et qui ont dû cacher leur être sous l'apparence d'un paraître inoffensif, dissimuler leurs sentiments sous l'insignifiance, et leurs forces puissamment rassemblées pour les révoltes nocturnes sous l'apparence au grand jour du « jouet sombre au carnaval des autres » (Césaire).

Aussi, dans la mémoire autant que dans les rêves, le marronnage constitue-t-il la forme originelle de résistance. Le marronnage : c'est-à-dire la fuite loin de la barbarie, soit par la mort, le suicide ou le meurtre des nouveau-nés préservés de servitude par le retour direct de leur âme en Guinée. Soit par l'exil imaginaire au moyen des pratiques de dépossession et de dépassement de soi, de la danse à la transe. Soit par la fuite réelle dans les recoins de la nature les plus inhospitaliers au maître. Forme qui, fonctionnant comme un mythe d'origine, initie la révolte absolue mais sans l'inscrire dans la durée de l'histoire ni l'espace bâtard de la négociation. En sorte que si le marronnage absolu avait été possible, les sociétés antillaises n'existeraient pas sous leur forme métisse d'aujourd'hui, par refus d'hériter de la bâtardise historique et de la déportation géographique au principe de leur constitution.

À l'origine, en effet, le marronnage est un mouvement de retour à l'Afrique perdue. Retour symbolique en suivant jusqu'aux côtes de Guinée le reflux des vagues après la mort. Retour réel dont la possibilité à chaque époque a été reformulée, de l'invention américaine du Liberia au siècle dernier jusqu'aux séjours éthiopiens des rastafaris d'aujourd'hui. Retour socioculturel, toute communauté de Nègres marrons Boni ou Saramaka assez tôt constituée s'organisant comme par exemple en Guyane selon la mémoire préservée des structures africaines originelles.

Ensuite, une fois le non-retour assumé, c'est un système dont la géographie humaine est absolument exclusive des structures européennes de la plantation. Il s'agit de reconstruire une «petite Guinée» en Amérique, non pas en conquérant l'espace ennemi de l'habitation, mais en investissant l'espace sauvage de la nature purifié de la présence coloniale, s'il le faut en alliance avec les Amérindiens, légitimes premiers maîtres des lieux. C'est ainsi qu'en Guyane les Nègres marrons ont négocié avec les colons et les Amérindiens leur installation en hommes libres sur les marges de la forêt amazonienne. Et à défaut de ce vaste espace, seules les Grandes Antilles (Saint-Domingue, Jamaïque, Cuba par exemple) ont pu leur offrir des îlots d'asile permanents et sûrs, surtout là où un grand nombre d'esclaves originaires des mêmes sociétés a pu fournir des éléments d'homogénéité ethnique ou religieuse, comme la *santería* cubaine, le candomblé de Bahia, et le vaudou haïtien.

À l'inverse, pour toutes ces raisons, les îles des Petites Antilles n'ont jamais pu vivre que des formes imparfaites ou temporaires du marronnage ; une fuite provisoire et précaire nécessitant, pour échapper définitivement aux chiens et à l'oppression, la prise d'assaut victorieuse de la plantation. Prise par laquelle le maître sera condamné non à disparaître mais à verser le salaire de la dignité nègre imposée, et l'État colonial devenu République sera sommé d'édifier l'État de droit contre l'arbitraire des Codes noirs. Modèle historique qui détermine depuis deux siècles aux Antilles françaises les formes de résistance sociale, politique et culturelle. Ainsi, par son défaut même de réalisation pérenne, le marronnage absolu exerce ici dans l'imaginaire et la pensée le rôle d'un idéal de libération postulant l'effacement absolu du maître d'Europe et de tous les signes de sa présence abhorrée. Idéal de victoire totale sans nulle négociation de compromis, l'expérience du marronnage nourrit par exemple les projets les plus radicaux d'indépendance politique et économique, ou bien encore le rêve d'une cohésion culturelle postulée autour d'une seule langue – le créole assurant la totalité des modes d'expression, de l'université jusqu'aux chants populaires, de l'écriture jusqu'à l'oralité. Elle s'inscrit dans les mémoires comme l'éruption finale bouleversant les violences vaincues, une créolisation paradoxalement exclusive de l'Europe, une identité métisse se voulant purifiée de toute référence au colonisateur. Et il suffit de repenser à l'explosion de la bombe de la montagne Pelée sur l'arrogance coloniale de Saint-Pierre pour se rendre compte que cet idéal se donne à lire dans les formes des révoltes de la nature, avec l'éruption comme modèle *naturel* de la Révolution.

Le système d'organisation du marronnage était ainsi quelque peu assimilable au modèle social de l'anarchie, fondée elle aussi sur l'opposition frontale à l'ordre politique de l'État de droit, représentant ici l'injustice légale des Codes esclavagistes : la révolte sauvage disséminée au secret de la nuit face à l'organisation socialisée de l'oppression. Sans maîtres ni dieux, sans héritage d'ancêtres suffisamment présents, sans loi naturelle proposée par une nature trop ambiguë, à la fois alliée du colon et complice des Nègres marrons, le marronnage n'a jamais réellement trouvé les formes qui lui auraient permis de *dénaturer* sa révolte en révolution politique ou sociale.

Comme souvent dans l'histoire de la Caraïbe, il s'agit là encore de concilier l'eau et le feu, afin d'enraciner les enfants de la révolte et ceux de la soumission, descendants de l'Oncle Tom et de la Mulâtresse Solitude, des victimes soumises et des purs révoltés.

Telle l'alliance conflictuelle, au sein du Panthéon vaudou, entre Ogoun, le dieu sculpteur de géographie par le fer et le feu, et Eshu, le rusé et tortueux profiteur des détours de l'histoire.

Telle l'alliance dont parle le *Conte colibri,* entre le crapaud-tambourineur et le rebelle colibri.

Telle l'alliance conflictuelle entre Ariel, le poète, le médiateur, et le très sauvage Caliban, le révolté absolu, tous deux face aux visées de maîtrise de Prospero, dans *Une tempête,* d'Aimé Césaire, composée en 1969, « adaptation pour un théâtre nègre » de *La Tempête* de Shakespeare.

La révolution historique d'Ariel devenu antillais consiste à imposer sur l'île le culte de la communion, et à inverser le sens de l'histoire en proposant non pas un retour au paradis perdu de l'identité originelle mais une revendication de la bâtardise imposée et une assomption du métissage.

La révolte pure de Caliban consiste au contraire à revendiquer le culte de la différence comme l'arme absolue pour la disparition totale du colon et de ses œuvres. Sans compromis. Toutes les palmes de l'île balayant le béton et l'acier.

Aux Antilles, la dialectique maître-esclave recouvre la dialectique du Même et de l'Autre. Or tout travail de libération et de désaliénation vise en premier lieu à se libérer des dialectiques binaires, à briser le carcan de la césure imposée ou subie, la coupure du bilatéral, pour restaurer la totalité perdue de l'être, la plénitude d'une identité conçue comme dépassement des contradictions et non creusement des différences. En rupture courageuse avec les causes originelles des malheurs, à savoir la scission instituée entre le Même et l'Autre, et leurs assignations aux places de maître et d'esclave prétendument de toute éternité. Tout comme la ruse du diable est de faire croire que le diable n'existe pas, celle des descendants du maître est de persuader le maître qu'il existera toujours. Cette dernière ruse va jusqu'à perpétuer une dialectique entre *le maître* et *l'autre,* pour imposer à tous la même mutilation d'inhumanité qui l'a constitué en maître provisoire au détriment de sa propre humanité, et de faire croire aux descendants d'esclaves libérés qu'ils sont prétendument soumis à une *vision des vaincus* alors qu'ils héritent d'une fière victoire contre l'esclavage, au nom de tous les hommes et non de leurs seules peaux. La haine de Prospero est faite pour aliéner Caliban en l'enfermant dialectiquement dans le carcan du ressentiment. Or l'esclave libéré, le sujet-auteur des abolitions – comme plus tard le sujet de la décolonisation, le sujet décolonisé –, est celui qui ne se pose plus en s'opposant, mais dont la liberté conquise a décentré le maître, a déplacé le lieu de la maîtrise hors du reflet imposé par le miroir déformant ou assimilant, sans postuler d'occuper la place libérée du maître, et a subverti le discours dominant de la prison dialectique, en devenant maître de sa parole et porteur de parole libre, par exemple la parole poétique, ou musicale, ou conteuse, ou artistique, contestatrice par son essence de tous les discours dominateurs et réducteurs.

Ce thème central de la pièce de Césaire où s'affrontent, face à Prospero et à ses rêves de colonisation de son île-refuge, Ariel et Caliban était déjà au cœur de sa première pièce écrite dès l'après-guerre, *Et les chiens se taisaient*, à travers l'affrontement entre les deux figures fondatrices du Rebelle et de la Mère :

> *Le rebelle :* Mon nom : offensé ; mon prénom : humilié ; mon état : révolté ; mon âge : l'âge de la pierre.
>
> *La mère :* Ma race : la race humaine ; ma religion : la fraternité.
>
> *Le rebelle :* Ma race : la race tombée. Ma religion... mais ce n'est pas vous qui la préparerez avec votre désarmement, c'est moi avec ma révolte et mes pauvres poings serrés et ma tête hirsute...

Toute l'histoire politique et culturelle des Antilles s'inscrit dans la complémentarité complice et conflictuelle de ces deux visions. Depuis l'origine, quand la sécurité des bandes de Nègres marrons se renforçait de la complicité nocturne des esclaves restés sur la plantation, jusqu'aux stratégies contemporaines concernant le statut politique des nations de l'archipel. En passant par l'épopée de Louis Delgrès à la Révolution qui mena la révolte du peuple libre de Guadeloupe contre le rétablissement de l'esclavage aboli en 1794 et éclata en suicide au Matouba avec le dernier carré de combattants le 28 mai 1802 ; Delgrès, tel un Ariel violoniste mort en Caliban, qui avait, le 9 mai 1802, pris le soin d'afficher une proclamation dans les rues : « à l'univers entier le dernier cri de l'innocence et du désespoir». Cette proclamation, parfaitement préservée en secret jusqu'à nous, est la suite concrète ici de la Déclaration des droits de l'homme après la trahison là-bas par Bonaparte de la commune révolution. Véritable mythe d'origine des Guadeloupéens, notifiant la prise de possession légitime de l'île *à toujours* par les nouveaux maîtres de la justice, de la révolte et de l'espoir : Delgrès, Ignace, la Mulâtresse Solitude, et la forêt anonyme et fertile de leurs compagnons, célébrés par Césaire comme des Icares dévolus, buccinateurs d'une lointaine vendange. Les auteurs d'une pareille épopée de libération n'ont pas donné leur vie pour seulement *sauver leur peau,* mais bien *leur corps et âme,* certains de leurs droits d'hommes en lutte pour *l'univers tout entier.*

Sur un tout autre plan, la genèse des langues créoles éclaire la complexité des phénomènes de créolisation, particulièrement dans les îles de colonisation française dominante : Saint-Domingue-Haïti, Guadeloupe, Martinique. Le maître français et l'esclave africain ont créé ensemble la langue créole, maîtrisée *également* par l'un et l'autre, et le créole a tout servi : les ordres et le fouet, la soumission et l'affliction au sein de la plantation et des espaces de l'oppression, mais aussi la révolte, les appels au marronnage et la parole des tambours et des chants de la liberté. La langue française a aussi servi à tout : langue du *Code noir* et des jugements de tribunaux injustes, mais aussi langue des résistances, des dissidences proclamées par écrit malgré les interdits de lecture et d'écriture, du marronnage des idées des Lumières jusqu'à la proclamation de Delgrès en 1802 et aux décrets d'abolition. Aussi, même après 1848, les colons se sont-ils toujours méfiés de la maîtrise du français par les

29

colonisés, et, à l'inverse, l'État colonial a combattu les expressions créoles de leur identité par les nouveaux citoyens. En réalité, ceux-ci n'ont jamais vécu comme contradictoires l'expression de leur spécificité culturelle et leur exigence des garanties formelles d'égalité imposées à la République avec la citoyenneté. À la vérité, l'unilinguisme cousine sans mal avec les oppressions, et le souci du bilinguisme n'occupe que les êtres libérés, délivrés de l'uniformité de la langue, des lois et des discours dominants pour célébrer le singulier pluriel de leur identité métisse.

La langue créole, en ce sens, n'a jamais pu être uniquement une *langue marronne,* le bien commun des seuls opprimés, le signe de reconnaissance méconnu des geôliers, ou le code ésotérique d'hommes libérés par le marronnage (sauf dans les pratiques religieuses de résistance comme le vaudou, la *santería* ou le candomblé, associées à des *langages* secrets), car elle a été aussi dès et par son origine une *langue de compromis,* comme l'a définie Glissant, entre tous les occupants de l'habitation – Noirs et Blancs, maîtres et esclaves, bourreaux et victimes – et se présente en conséquence tantôt comme une langue de la connivence nègre et du marronnage, tantôt comme une langue de l'aliénation et de la compromission, également maîtrisée et partagée par ceux qui donnaient le fouet comme par ceux qui le recevaient.

De la même manière, les langues et les pratiques culturelles d'Europe ont échappé à la maîtrise des seuls colons européens, malgré les efforts de ségrégation qu'ils pouvaient faire soit pour les imposer à une élite de serviteurs bien circonscrite, soit pour en garder l'exclusivité par rapport à la masse des esclaves interdite de parole et obligée à l'ignorance.

En réalité, la performance orale du conteur et l'écriture du poète et du prosateur dans la Caraïbe ont depuis longtemps permis aux langues d'Europe d'échapper aux seules frontières de leurs États et de leurs nations d'origine, et de s'épanouir, par l'œuvre d'autres peuples et d'autres cultures, comme moyen d'expression libre d'identités neuves. Ainsi, tout acte de création s'impose comme résistance à toute forme d'oppression, même dans les langages imposés à l'origine par l'oppresseur. On sait bien que les modes, les genres, les styles, les langues n'ont pas de pureté originelle, ni de prédestination à libérer ou à emprisonner. La langue-carcan du *Code noir* ne saurait se confondre avec celle qui, de Montaigne à l'abbé Grégoire et Hugo, jusqu'à Roumain, Damas, Césaire ou Fanon, a balisé aussi les chemins décolonisés de la liberté.

Or, quel meilleur moyen de se libérer des lois de la langue que d'en avoir deux ou plusieurs à sa disposition ? La Caraïbe tout entière est terre de multilinguisme, où aucun langage ne va de soi, aucune langue n'a de légitimité originelle, où tout a commencé par l'imposition de lois et de règles importées, où toute parole a d'abord dû être conquise sur le silence et l'interdit, où la question de la langue de l'identité nourrit le débat identitaire, surtout aux Antilles, à Haïti et à Porto Rico. Il y a ici du jeu dans la machine à s'exprimer, avec la conscience de l'inadéquation entre offre plurilingue et demande monolingue résultant d'une vision restrictive de l'identité, avec le sentiment de dépossession des parlers authentiques pervertis par l'impureté des frottements de langues, les coupures entre le savant et le populaire comme entre l'oral et l'écrit, le travail militant ou savant de repossession, la quête d'adéquation entre l'identitaire et la langue, la politique des langues et les langues du pouvoir. Un jeu qui fait de la Caraïbe avec l'océan Indien la zone de dialogue entre les grandes langues impériales du monde : français, anglais, espagnol, portugais, qui cohabitent d'île en île non par la volonté des anciens colonisateurs, mais par la réalité des cousinages identitaires entre les différentes sociétés qui transcendent dans l'art et la culture leurs distinctions d'expression, au point que les musiques caribéennes circulent sans mal d'île en île malgré leurs paroles étrangères, colportées par le désir de danser et de chanter dans la seule langue collective reconnue par toute la Caraïbe, celle de la musique.

En fait, le plurilinguisme natal qui constitue le fondement de la culture antillaise quelle que soit la «langue d'arrivée», choisie ou imposée, permet à l'écrivain et à l'artiste d'avoir la distance suffisante par rapport à toute langue, créole ou français, pour tenter de se jouer d'elle, de ses sens et de sa musique, sans se sentir aliéné par l'usage que d'autres, notamment les anciens propriétaires de la parole et des écrits, ont pu en faire à leur profit particulier.

Pour ma part, mon enfance a été nourrie de toutes les musicalités des langues de la Caraïbe, le créole et le français des contes et des comptines, l'anglais des calypsos trinidadiens, et surtout l'espagnol des musiques afro-cubaines ! Car, en ces années, il n'y avait pas de primauté des ondes françaises, et l'on entendait majoritairement les radios en espagnol et en anglais captées de Porto Rico, Caracas, Trinidad, La Havane, dans la rue, dans les bars, dans les fêtes populaires ; une véritable sauce caribéenne mêlée au chant de la nuit antillaise. Et ce qui frappait, puisqu'on ne comprenait pas le sens propre des mots, c'était la musicalité de ces langues, qui rassemblaient dans une même écoute et une même jubilation la Caraïbe entière, *via* ces radios incompréhensibles imprégnant nos oreilles d'enfants.

On sait bien que toute langue, pour devenir langage de fiction, de poésie, de musique, doit être mise à distance. Et cela vaut aussi pour le créole, dont la dignité populaire, littéraire et musicale, vient du fait que les peuples, les artistes et les créateurs qui la respectent et la pratiquent ne la considèrent pas non plus comme la langue allant de soi, qui ne serait qu'un décalque usuel de la réalité, le langage naturel de la résistance et du for intérieur, mais comme une langue de création continue, façonnée par sa musicalité, qui se nourrit d'une surabondance d'expressions plus que d'un vocabulaire spécifique, qui requiert une mise en place du geste et de la voix, et qui, loin de la caricature des cris et fureurs du quotidien carnavalesque et du dérisoire à laquelle certains la cantonnent, exige de l'artiste, poète, conteur ou musicien, un savant travail de structuration rythmique et tonale. Ce que manifeste à plaisir la poésie en langue créole, depuis les poèmes de l'initiateur Gilbert Gratiant dès les années 1920, jusqu'à ceux, entre autres aujourd'hui, de Syto Cavé, Georges Castera, Lyonel Trouillot en Haïti, et aux Antilles, d'Hector Poulet, Sonny Rupaire, Raphaël Confiant, Monchoachi, Gerty Dambury, ou Joby Bernabé. Comme l'indiquait Lambert-Félix Prudent dans la première *Anthologie* de poésie créole contemporaine, publiée en 1984 par les Éditions Caribéennnes, pionnières en la matière : « Une grande rage de représentation, d'expression, de mise en scène, de composition de chants et de textes conduit à la création native. La langue créole, jadis dépréciée, transforme la parole-alibi en un discours responsable. Son rôle artistique est désormais synonyme de dignité et de résolution… »

Fout fanm fo fout lè fanm fe tan fè fos pou fo! (Que la femme est forte lorsqu'à toute force elle fait front), ce vers de Joby Bernabé qui ponctue l'un des plus beaux chants d'amour créoles, tout en allitérations fertiles célébrant la femme poteau-mitan des Antilles, vaut aussi pour la langue créole, poteau-métis des identités antillaises, parce qu'elle assume sa bâtardise linguistique en affichant sa liberté d'expression.

La langue créole symbolise en cela la complexité culturelle caraïbéenne, même si elle n'est pas parlée dans toutes les îles, et qu'elle s'étend de plus à d'autres espaces,

33

notamment sous des formes cousines jusque dans l'océan Indien. Elle est clairement une *langue,* une création spécifique et originale, en même temps dépendante des langues environnantes dont elle colonise le vocabulaire sans en être structurellement ni un patois ni un dérivé. C'est une des langues les plus récemment apparues et sur l'origine exacte de laquelle les linguistes s'interrogent encore. Dans une situation d'oppression, l'oppresseur impose en général sa propre langue. Pourquoi les colonisateurs français n'ont-ils pas pu le faire totalement, au contraire des Espagnols, des Portugais ou des Anglais ? On touche sans doute là à une particularité de la colonisation française d'il y a quatre siècles dans les « vieilles colonies ». La langue créole est d'un usage beaucoup plus développé dans les pays d'ancienne obédience française qu'ailleurs. Il se trouve que l'Espagne et l'Angleterre, durablement implantées en Amérique du Nord et du Sud, ont chacune mieux réussi à imposer l'uniformisation linguistique dans de grands espaces autour de l'anglais ou de l'espagnol. Dans le cas de la France, des Bretons, des Normands, des petits nobles béarnais, des paysans occitans, des régiments régionaux, des missionnaires, des marins et des paysans, des artisans et des négociants des ports atlantiques, ont opéré un peuplement métis venu de tout l'Hexagone, qui était loin à l'époque de constituer une unité linguistique autour d'une seule langue parlée à l'identique par tous. Aujourd'hui encore, de nombreux Saintois, ces pêcheurs de la Guadeloupe, inventeurs du canot de pêche guadeloupéen, la *saintoise,* sont des Blancs peu métissés en raison de leur origine bretonne, isolés qu'ils étaient sur les deux petites îles des Saintes à s'adonner à la pratique quasi exclusive de la pêche, sans lien direct avec le système de plantation. À Saint-Barthélemy, autre île de l'archipel guadeloupéen, peuplée à l'origine de paysans normands, on rencontrait il y a quelques décennies de vieilles dames arborant à la messe du dimanche leur coiffe normande. Aux premiers temps de la diaspora des diverses provinces françaises en Amérique, chacune avait emporté sa langue régionale à côté de la langue du pouvoir central. Ainsi, la colonisation française, même si tel était son projet, n'a pas réussi à imposer dès le début sa domination à travers une langue unique et un parler unifié. Il s'en est ensuivi très tôt un processus de créolisation et de fragmentation linguistique, qui n'a fait que s'étendre à l'arrivée des esclaves africains, lesquels devinrent le vecteur essentiel du développement des langues créoles puisque la dispersion ethnique et les interdits ne leur permettaient pas d'assurer une communication collective dans l'une ou l'autre des dizaines de langues africaines d'origine.

Ce phénomène de *créolisation linguistique* se produisit sans doute aussi sous le coup d'une condensation insulaire propre à la Caraïbe et à l'océan Indien. Les Anglo-Saxons avaient colonisé l'Amérique du Nord, les Espagnols et les Portugais l'Amérique du Sud, alors que la Caraïbe est un conglomérat de colonisations multiples dans une géographie étroite, une insularité fédératrice d'un croisement de colonisateurs se succédant dans les îles au fil des guerres, des annexions, des alliances et des traités : Français, Anglais, Espagnol, Portugais, Hollandais ou Suédois. La créolisation des langues n'est donc pas essentiellement un phénomène continental, sauf justement là où la langue française a eu une place essentielle, comme en Louisiane, ou bien encore, par exemple, comme le résultat des émigrations de colons français à Cuba, après la Révolution française et la première abolition de l'esclavage en 1794 à Saint-Domingue et à la Guadeloupe, où ils occupèrent les plaines de Santiago de Cuba, avec tous leurs esclaves déjà créoles, qui en firent un lieu d'ancrage d'une créolité afro-hispanique, élément de la *couleur cubaine* que célébrera plus tard Nicolás Guillén.

À cet égard, l'évolution de la musique est un très bon révélateur de ces processus. Par exemple, il semble que la créolisation musicale poussée en Louisiane plus qu'ailleurs aux États-Unis jusqu'à y faire naître le jazz peut s'expliquer entre autres parce que l'interdit du tambour a été plus strictement appliqué par les colons anglais que par les colons français, et que le Congo Square près du Quartier français a toujours résonné dès l'origine de la polyrythmie des tambours. Autre exemple à Cuba, dans ces régions d'émigration franco-créole autour de Santiago, le créole antillais apparaît dans les refrains de vieilles chansons paysannes, comme aussi dans la *charanga francesa,* la charanga française, type d'orchestre à cordes sur le modèle des ensembles classiques de flûtes et cordes importés par les émigrés français, avec une base rythmique afro-cubaine. *Así nacio el són! Són de la loma!* Ainsi naquirent le *són* et la *guajira,* tissant des arabesques entre Mozart et l'Afrique, entre la flûte traversière et la guitare espagnole, la *conga* et la *décima,* sur le fond originel des musiques arabo-andalouses, créolisées d'abord dans les plantations des plaines de Santiago de Cuba puis dans les partitions des salons de La Havane, synthétisées en musique afro-cubaine, créant, pour finir en deux mots, la *música cubana.*

Ce métissage musical s'est produit dans la Caraïbe, dans les formes musicales que les descendants d'Europe célébraient avec nostalgie dans le souvenir respectueux des partitions d'origine, là où les descendants d'Afrique se sont volontairement immiscés pour les créoliser à partir de leur exigence première de liberté. Les airs, les rythmes et les danses de cour d'Europe ont été ainsi refondus sous l'influence africaine, inventant un avenir musical pour des formes allant et venant des salons jusqu'aux rues Cases-nègres, aux bouges et aux refuges nocturnes : polka, mazurka, quadrille, tango, milonga, biguine ou jazz.

J'ai trouvé un reflet de ce cheminement sur une gravure ancienne, où l'on voit d'un côté de jeunes colons élégamment vêtus, en train de jouer de la musique à l'intérieur de leur salon, attentifs à leurs partitions, une jeune fille au chant et les autres jeunes gens aux violon, flûte et clavecin. À l'opposé de cette scène classique, sur la droite du tableau, à l'extérieur de la maison, bien visible du spectateur du tableau mais hors de portée des yeux du groupe de musiciens, un grand esclave noir pieds nus et grossièrement vêtu est représenté en gros plan, visiblement échappé du champ de canne, qui tend l'oreille pour écouter cette musique dans une attitude très attentive. Sans aucun doute, l'esclave est-il déjà en train de récupérer ce que cette musique belle et bonne à son oreille lui apprend de ses maîtres, ce qu'elle trahit de leurs désirs, de leurs rêves et de leurs cauchemars, de leur fragilité, de leur art, en un mot de leur humanité, à travers leur interprétation scrupuleusement prisonnière elle-même de la partition du compositeur bien en vue sur le tableau. C'est comme s'il opérait en douce un larcin musical, pour chanter ses propres rêves, ses désirs, ses cauchemars et son humanité. Comme s'il se saisissait à cet instant décisif de l'essence de la partition à détourner plus tard pour son profit, en s'appropriant d'oreille la science du compositeur qui l'avait lui aussi librement conçue, en transformant l'écriture imposée en oralité mémorisée, les oreilles suppléant la mémoire des yeux empêchés. Et ce afin de bricoler ensuite, sans le secours du papier, une véritable re-création musicale, qui naîtra à la fois par l'absence de la partition de référence, inaccessible mais non pas ignorée, et par la présence de sa propre science musicale préservée, le tout générant une synthèse musicale improvisée autant qu'imprévisible, qui sera donc par là même productrice de connivence et signe de liberté. Créolisation créatrice de jouissance comme de révolte entreprises par des cases dans la nuit marronne face à l'habitation des maîtres cadenassée. Comme s'il fallait toujours dérober toute musique passant à sa portée, interdite ou imposée, censurée ou tolérée, d'Afrique ou d'Europe, à la seule condition de l'interpréter librement, sans jamais se sentir esclave d'aucune partition musicale, ni d'aucune partition des musiques, ni d'aucune ségrégation des musiciens.

C'est ainsi qu'au fil des siècles vont se développer les musiques de la Caraïbe, essentiellement par les métissages entre, d'une part, les modalités vocales et instrumentales africaines avec leurs codes polyrythmiques, leur créativité et leur pouvoir d'improvisation, et, d'autre part, les mélodies et les danses d'Europe, se libérant à mesure du carcan des figures imposées comme le menuet du XVIIe siècle puis les contredanses et quadrilles du XVIIIe, jusqu'aux danses par couples du XIXe siècle, polkas, mazurkas et valses, et à l'apogée du syncrétisme avec l'avènement moderne de la biguine, de la rumba et du jazz, qui feront danser au XXe siècle le monde entier reconnaissant ses cousinages fructueux en Europe, en Afrique, en Amérique et jusqu'en Asie.

D'où l'importance de la figure de l'improvisation, la grande caractéristique commune à toutes ces musiques. Elles n'ont pas fabriqué de formes fixes pour l'éternité, car l'éternité présuppose un passé immobile bien enraciné, des traditions figées et en conséquence un avenir toujours identiquement représenté. Au contraire, la tradition dans la Caraïbe consiste à échapper à toute tradition en la remodelant à chaque génération.

L'exigence de l'improvisation solitaire est là encore un signe pathétique de la manière dont se sont constituées ces sociétés, c'est-à-dire en sachant très bien le poids de l'isolement absolu originel, que le solo est justement là pour rappeler. À un moment donné, un homme en son solo se risque à prendre en charge la totalité du groupe en postulant que la rencontre d'autres solitudes créera la polyrythmie : les ti-bois, les bongos, le piano, les maracas, les congas, la contre-basse. Une improvisation sur une rythmique bien enracinée qui permet des envolées très haut, très loin dans les airs. Les volutes du violon survolant la polyrythmie des tambours et des basses sont l'image d'une humanité, dès l'origine contes-tée ou empêchée d'être, et qui doit donc chaque fois qu'elle s'exprime apporter à son auditoire la preuve de l'existence du *nous* enfin édifié, en même temps que la liberté du *je* comme sujet libéré. Ainsi, les musiques de la Caraïbe offrent la possibilité d'aller au-delà de ce que le *nous* espère pour laisser sa chance à ce qu'il n'ose imaginer pour après l'infernal. Il y a dans les musiques de la Caraïbe une volonté de préserver la mélodie de la disharmonie possible, et la puissante polyrythmie ramène toujours du ciel le soliste envolé. La Caraïbe s'arrête aux frontières du jazz qui explore la disharmonie volontaire contre la violence des Babylone modernes, et à celles du blues qui accompagne l'errance marronne sur les longues routes du Deep South, voyage impossible dans l'espace réduit des îles caribéennes, avec la mer en sentinelle de mort au bout de chaque chemin.

Et surtout, à la différence majeure de ce blues et de ce jazz, la Caraïbe préserve toujours le chant et la danse dans ses musiques. Avec l'omniprésence du chant vocal, obli-geant toute musique à rechercher l'harmonie avec la voix humaine trop longtemps étouffée. Et aussi la compagnie de la danse, qui oblige à se rappeler que la musique est aussi écoute des corps, écoute de l'harmonie du rendez-vous d'amour ou de défi entre la danseuse et le danseur, les pieds et les tambours.

Là où cette recherche d'équilibre est aussi très significa-tive, c'est lorsque la musique se fait douce et joue sa toute-puissance *à la ralentie.* Après les rythmes trépidants et convulsifs des *descargas,* la décharge sexuée, l'exaspération de liberté qui emporte les tambourineurs à l'extrême de leur force et de leur dextérité, de *boula,* du *vidé,* comme en l'explosion solaire des solos de batterie-jazz. C'est alors que s'installent la réserve du *laguia,* et le spleen du boléro et de la *guajira.* Alors s'exprime la puissance de délicatesse de la Caraïbe, à l'heure des flûtes des mornes martiniquaises relayées par les traversières de la *charanga* cubaine, la musique du colibri réinventée par la flûte du roseau, la réserve d'élan pour l'essentiel à venir : amour de nuit ou révolte demain, sans déchaînement, car les chaînes sont brisées, sans « s'éclater » hors de soi-même, au contraire pour une rentrée au plus profond de soi, lente et mesurée, les yeux parfois fermés pour mieux entendre. Non pas le cri déchirant du malheur, mais la beauté mélodieuse revenue de très loin, après les silences de la mort, la lucidité gagnée sur le désespoir, et la violence maîtrisée par la sérénité, comme une fusion dansée du blues de l'Amérique au nord et de la *saudade* au sud, insularisée en *kaladja, guajira* et *danzon* caribéens, sensualité vitale hors de portée de toute inhumanité.

J'ai élu pour ancêtre l'esclave musicien, saisi en son geste inaugural, au moment de ranger son violon après le quadrille final du grand bal du maître, se ravisant et emportant son instrument hors de l'habitation pour inventer les musiques noires au rythme des voix et des tambours restés libres dans la prison des cases.

J'ai élu pour ancêtre la chanteuse de nos blues caraïbes, de complainte en *guajira,* celle qui un soir où la tempête de ses malheurs faisait un bruit si fort en elle que, pour ne pas devenir sourde, elle s'est mise à chanter. Chanter, c'est-à-dire *crier pour l'avenir.*

J'ai élu pour ancêtre la Négresse à talents – l'esclave maîtresse d'école de ses petits maîtres, puis première institutrice des premiers enfants de l'abolition – remontant le soir dans son grenier après les leçons du jour, et confiant à son cahier au secret de la chambre sa plainte et sa révolte, en poèmes et en contes parvenus jusqu'à nous par la force de son art.

Ceux qu'on appelait les Nègres à talents, les «esclaves de première classe» formés à Saint-Pierre ou à La Nouvelle-Orléans, serviteurs dévolus à la musique, la danse, la gastronomie, la couture, la langue, le livre, l'intendance ou l'éducation, avaient ainsi accès, même par contrainte, à l'excellence des formes culturelles européennes dont ils allaient ensuite retourner l'usage et la maîtrise au service de l'émancipation des leurs. Pour eux, du même coup, il s'avérait fondamental, pour se libérer, de ne pas se poser en utilisateurs respectueux de la pratique artistique qu'ils avaient apprise du maître pour son service, mais en inventeurs de formes nouvelles de lecture et d'interprétation, créant du neuf pour l'artiste et les siens à partir de ces instruments et de ces langages imposés. Après avoir joué pour la soirée du maître, reprendre son violon et rejoindre les cases à Nègres pour *improviser* avec les tambours libres, c'était proprement, par ce processus de marronnage culturel, faire la preuve de son humanité en mettant l'instrument étranger au service de la résistance créatrice, en refusant de rester esclave de la partition.

En l'esclave-musicien, le musicien libère l'esclave.

Non pour crier, mais pour créer.

Et partout la musique a traversé le silence pour délivrer le cri. Et le voyage de la chaîne à la danse. L'équilibre et l'élan réinventés contre la pesanteur et les blessures des boulets. Aussi avec le conte. Aussi avec la poésie. La ferveur des tambours et des voix rythmées de douceurs et de douleur.

Et par ce passage du cri au chant, de la chaîne à la danse,

l'artiste, esclave de la loi de réalité, improvise un art dont la nouveauté esthétique a pour fonction de donner forme possible à l'espoir, en manifestant à sa communauté par l'exemple de son engagement éthique, à l'instar de l'esclave enfui en marronnage, la possibilité d'émergence, entre doute et croyance, des genèses nocturnes renaissantes au son du tambour-Ka.

II
Le grand camouflage :
de l'injure au diamant

Parole menacée. Car nous nous sommes habitués au détour, où la chose dite se love. Nous effilons le sens comme coutelas sur la roche volcanique. Nous l'étirons jusqu'à ce menu filet d'eau qui lace nos songes. Quand vous nous écoutez, vous croyez la mangouste qui sous les cannes cherche la traverse.
Mais parole nécessaire. Raide et cassée. Sortie du gouffre, avec les os. Et qui se cherche dans tant de semblants où nous nous sommes complu. Et qui s'accorde malgré tout à cette énorme mélopée du monde.

Édouard Glissant (*Le Discours antillais*)

Ki lavalas
ki lanbéli
ki van lévé
ki kalmipla
ki soley ho
ki lalin plenn
mwen ka rété sizé asi kat tèt a woch
an mitan jé katkwen a pwen l'horizon.

(Sous orage
sous embellie
sous vent qui lève
sous calme plat
sous soleil haut
je reste là posée sur quatre roches
au mitan du jeu des quatre points de l'horizon.)

J'ai longtemps cru que ce poème de l'écrivain guadeloupéen Sonny Rupaire faisait le portrait d'une paysanne antillaise, assise à méditer devant sa porte telle la vieille héroïne de *Pluie et Vent sur Télumée Miracle* de Simone Schwarz-Bart, sereine et solide comme un poteau-mitan, entre soleils et misères, selon l'image traditionnelle aux

45

Antilles qui fait de la femme antillaise le poteau-mitan, le pilier de l'organisation sociale de ces pays. C'est en le redécouvrant en exergue à l'ouvrage fondamental sur l'architecture créole du Guadeloupéen Jack Berthelot, *Kaz Antiyez* (Case antillaise) et en le traduisant en français que j'ai alors réalisé qu'il décrivait la personnalité non de la femme, mais de la case créole, tellement ce que dit ici la case personnifiée du poète est à l'image de notre identité.

Si toute île est une case érigée pour contrer les naufrages, la case antillaise est un îlot qui ressemble à un canot retourné sur la plage. Sa toiture traditionnelle est issue du modèle européen de charpente de marine qui lui donne justement l'apparence d'un canot renversé. Comme un canot à la mer échappé des cales du bateau négrier, puis à l'envers sur la grève tel un abri provisoire contre les malheurs passés et à venir, entre lavalasses et embellies.

Les matériaux utilisés marquent son inscription dans l'environnement naturel et cette dimension d'apparente fragilité : bambous du Nord, feuilles des champs de canne, entrelacs des *pailles-cocos,* de *ti-baumes* tressés, de fougères et de *têtes-roseaux,* pour les essentes, les palissades et les toitures avant l'arrivée de la tôle ondulée, avec les composés de bouses sèches, de cendres et de chaux pour les jointures et le calfeutrage ; mais le tout solidement attaché aux puissants *poteaux-mitan,* en bois très durs et résistants que propose la forêt, acajou, courbaril, poirier-pays et laurier-rose naturellement parfumés et teintés, jusqu'à l'incorruptible acoma, arbre dont la sève circule longtemps après qu'il a été abattu, et dont Édouard Glissant a fait un symbole de résistance en choisissant son nom pour intituler *Acoma* la revue culturelle qu'il avait créée à Fort-de-France dans les années 1970.

La case en bois guadeloupéenne traditionnelle était posée sur des pierres, notamment en Grande Terre, sur le calcaire très sec et aride, afin que son soubassement soit préservé du contact direct avec la terre, source de dégradation du bois. Posée sur le sol et non pas fichée, déplaçable sur un autre terrain et non pas enracinée *par* ses fondations. La case n'est pas un arbre-refuge, elle est comme un nid sur l'arbre, posé et exposé. De plus, elle est transportable parce qu'il arrive que ses occupants en soient propriétaires sans pour autant posséder le terrain sur lequel elle est posée. Jusqu'aux années 1970, on pouvait croiser sur les routes de Guadeloupe le spectacle étonnant d'une case transportée sur un camion, à cause du déménagement de ses propriétaires. Cette image illustre une carte postale touristique très recherchée, tant il est étrange de voir une maison déménagée telle quelle ailleurs, à la différence de la tente du nomade qui se replie pour le voyage. L'habitant n'est en quelque sorte qu'un locataire de son île. Son foyer, c'est sa maison et l'espace domestique alentour. Figure étrange et paradoxale d'un nomadisme sans désert ni savane ni forêt, une circulation confinée à l'espace de l'oasis du village ou de la prison de l'habitation, par manque du pécule pour l'acquérir. L'indépendance de la maison par rapport aux fondations, c'est justement le contraire des systèmes habituels d'appropriation, qui commencent le plus souvent avec l'acquisition d'un terrain, sur lequel ensuite se bâtit la maison. Le jardin créole qui jouxte la case, réceptacle des herbes pour la cuisine et des plantes ornementales et médicinales, est en quelque sorte l'espace transitionnel entre nature et culture, signe délicat de la protection et de l'enracinement postulés, avec parfois la chance de grands arbres fruitiers plus anciennement ancrés, apportant leur ombre et leur sérénité aux cases-roseaux contre l'ouragan ou la chaleur hostiles, avec la promesse d'abondance des fruits : mangues, avocats ou fruits-à-pain.

Cette case traditionnelle est aussi de structure évolutive,

et peut s'agrandir par étapes avec le temps. Au départ, il y a une pièce ou deux autour du pilier central dénommé le «poteau-mitan». Ensuite, au fil des possibilités ou en raison de l'agrandissement de la famille, on peut rajouter de une à quatre pièces tout autour de la faîtière centrale. Quand on a fini, on construit la galerie tout autour, c'est-à-dire que l'on clôt la progression, avec cet espace ombragé dédié au repos sur la berceuse ou à la convivialité de voisinage, et qui désigne à la fois l'aisance modestement acquise et la sérénité de l'installation définitive sur son bout de terrain.

À l'intérieur, la case est un îlot surchargé de tout le contenu possible. Le problème n'est pas d'avoir de l'espace, c'est d'avoir de la commodité. Tout l'espace est rempli avec les grands lits, l'armoire, le buffet, la table, et aujourd'hui l'imposant réfrigérateur et les gros postes de radio et de télévision. Mais il n'est jamais hermétiquement clos, car le bruit et la musique excèdent l'espace intime en sortant par toutes les portes et les persiennes ouvertes dès l'aube jusqu'à l'heure du coucher et des chuchotis nocturnes, que laissent filtrer les palissades qui ne montent jamais jusqu'au plafond pour permettre là encore la circulation de l'air. La hiérarchie familiale se marque parfois avec le nombre de matelas superposés sur le grand lit, comme celui des grands-parents, dont la hauteur était d'autant plus impressionnante à nos regards que toute la colonie d'enfants en vacances couchait par terre avec délices à leurs pieds, sur les *cabanes,* faites de draps, de vieilles robes et de tissus de fortune accumulés pour donner de l'épaisseur.

L'étroitesse et le confinement ne sont en rien un obstacle à la convivialité, qui déborde sur la galerie et dans la cour, deux espaces du dialogue et de l'échange offerts au voisinage pour préserver d'autant l'intimité des pièces trop exposées. Ainsi l'orientation mobile des plaques des persiennes permet de voir de l'intérieur sans être vu, à la différence des vitres et des baies. C'est dehors que l'on parle avec les voisins, non pas qu'on ne veuille pas qu'ils entrent, mais tout simplement parce qu'il n'y a pas la place à l'intérieur, ou qu'il y fait trop sombre ou trop chaud selon le moment. L'espace familial n'est pas celui du dialogue parce qu'il est réduit, à l'image de l'insularité environnante. La case déborde de son trop-plein, et donc il faut trouver l'air à l'extérieur, d'où l'importance de la véranda, la *galerie,* et aussi de tout ce qui dans cette case ouvre vers l'extérieur. Ni château fort ni fétu de paille, ce qui caractérise les cases, c'est la simultanéité de la *persienne* et de la *grosse porte*. On ferme les volets le soir, et dans la journée les jalousies permettent le jeu d'ombre et de lumière, et le réglage de l'aération.

La case est poreuse aux éléments, qu'elle filtre sans brutalité en tentant de les équilibrer : le feu du soleil, la fraîcheur de l'air, la pluie recueillie en eau pour la citerne. Son habitant doit procéder à une surveillance permanente : fermer les persiennes contre le soleil et le vent *serein* du crépuscule, les ouvrir pour faire passer l'air et la lumière. Il faut sans cesse faire attention aux courants d'air, car l'hygiène de base consiste à prendre garde aux coups de chaud et aux coups de froid. De plus, à mi-chemin entre la porte grande ouverte et les volets clos, la persienne peut s'entrouvrir pour surveiller les autres ou pour veiller à ne pas l'être, l'objet contrant ou confortant le sentiment de jalousie, comme dans le roman éponyme de Robbe-Grillet.

C'est à l'extérieur que l'on respire : on prend le frais dehors sur la galerie, dans la berceuse. Objets et lieux transitionnels qui signalent autant l'intimité sereine à respecter que la disponibilité au passage du voisinage.

Dans la case traditionnelle, la cuisine, elle, est dehors, dans la cour. D'abord, pour une raison de sécurité, car elle peut brûler sans incendier la case en bois. Mais, de plus, sa position délimite un espace de socialisation familiale et de voisinage, avec le va-et-vient de la nourriture à préparer ou à servir, le positionnement à son côté du petit jardin créole, jardin potager où poussent les fines herbes, le piment, les plantes pour les tisanes. La cour entre la cuisine et la case est un espace de socialisation.

La fragilité de la case lui donne une souplesse garante de son intégrité en cas de cyclone ou de séisme : *elle plie, mais ne rompt pas* ! Ainsi le tremblement de terre peut-il déplacer la case sans qu'elle se brise. Quant au cyclone, les persiennes et les planches imparfaitement jointoyées font que la maison n'est pas entièrement étanche à l'air ou à l'eau, comme dans le cas des baies vitrées des villas modernes qui sont au contraire faites pour laisser entrer tout le soleil et la lumière possibles, et pour empêcher par leur étanchéité qu'aucune poussée de vent ni de pluie ne puisse pénétrer à l'intérieur. Or, c'est justement la non-étanchéité qui offre la vraie résistance à la puissance du cyclone, une résistance décuplée ou modulée en fonction de la différence de pression atmosphérique entre l'extérieur et l'intérieur, laquelle accroît fortement le danger d'écrasement de la maison par aspiration du toit, en plus de la force d'attaque directe du vent. En effet, la seule manière d'empêcher que la charpente ne saute comme un bouchon de champagne consiste à laisser filtrer une partie du vent à l'intérieur de la maison.

Dans la maison des grands-parents à Pointe-à-Pitre, où nous passions les grandes vacances, je me souviens que dans l'intimité de son établi mon grand-père m'enseignait cette sagesse du métier de charpentier, l'équilibre entre les pouvoirs des hommes et ceux de la nature. Pourquoi, dans la finition des cases, les feuilles de tôle sur les charpentes étaient fixées avec des clous qu'on ne recourbait jamais : parce que si un cyclone devenait trop violent, il aspirerait plus facilement les tôles, mais sans arracher du même coup la charpente restée nue, et contre laquelle sa violence ne pourrait plus rien. Tout serait inondé, mais le squelette de la case serait préservé. À la fin du cyclone, il suffirait de récupérer des tôles rassemblées par le tourbillon en un point des environs et de les reclouer au plus vite autour de leur poteau-mitan resté bien planté, comme un arbre auquel on recollerait ses feuilles pour le remercier d'avoir gardé son tronc. Il l'avait expliqué avec humour : «Le cyclone boit son champagne en faisant sauter le bouchon du toit !» De fait, dans mon souvenir de cyclones d'enfance, le premier bruit que l'on entendait une fois l'ouragan parti, c'était celui des marteaux qui reclouaient les tôles : dès la fin du déluge, le vacarme et l'espérance de la réparation.

Dans le mobilier, on trouve aussi cette prévalence de l'image du roseau, dans ces demeures qui ne sont pas posées sur un équilibre bétonné. La berceuse surtout représente un équilibre délicat entre l'assise ferme et le mouvement, que permet le jeu du bercement. (On se souvient par exemple à quel point l'image du président Kennedy dans son rocking-chair du bureau ovale était faite pour transmettre une idée de force tranquille et d'assurance sereine en pleine guerre froide !) Elle est un symbole de repos et de sérénité, à l'image de la vieille M'an Tine de *La Rue Cases-Nègres* qui fume sa pipe ou qui raccommode dans sa berceuse. La berceuse repose solidement sur un seul point du sol, associant l'assise de la chaise au mouvement du hamac. Le hamac, lui, hors de portée des dangers venant du sol, accroché entre deux arbres comme un nid, ne s'est pas imposé dans la société créole, sans doute parce qu'il nécessite un équilibre nature/culture, et une connaissance familière de l'environnement naturel avec ses secours et ses dangers, que seuls les Amérindiens maîtrisaient à l'origine.

Si l'île était un meuble, ce serait donc bien cette berceuse. Comme celles que mon grand-père fabriquait encore dans mon enfance. Nous nous en servions comme d'un cheval à travers la galerie, grondés par les adultes qui la récupéraient pour s'y assoupir, à l'heure de la sieste imposée aux enfants. La berceuse a cette fonction d'entre-deux, entre la chaise bien droite sur ses quatre pieds et les lourds fauteuils, véritable objet transitionnel de solitude et de convivialité.

Il suffit de considérer d'autres pièces du mobilier colonial créole pour retrouver cette même idée de pesanteur mêlée à la délicatesse. Ce sont commodes, buffets, grandes tables, lits à baldaquin auxquels les moustiquaires en voile et en dentelles tentent de donner un air de légèreté, une clarté et un mouvement qui atténuent la lourdeur du lit en bois massif. Car le mobilier colonial est massif et imposant. Rustique et pauvre, il encombre la case paysanne trop étroite. Riche et ouvragé, importé à l'origine directement d'Europe, il embellit les riches maisons créoles.

Le cannage, procédé bien adapté à la chaleur et à la lumière tropicales, a eu pour fonction d'atténuer les lourdeurs du mobilier colonial dont il est une composante essentielle. Cette dentelle de bois tissé par fines lamelles permet une assise solide et ferme, mais souple et délicate aussi, métissant avec élégance les avantages du bois, du cuir et des coussins, sans leurs défauts de chaleur, de dureté ou de fragilité sous ce climat. Rien n'est enfermé, la lumière peut passer à travers de très beaux meubles en cannage qui ne font pas obstacle à la vue d'ensemble et s'harmonisent aisément avec la couleur des murs et la lumière que les nombreuses portes persiennes laissent filtrer.

Une maison antillaise, c'est avant tout un composé d'ouvertures, une harmonie de fenêtres et de portes persiennes, offertes tout le jour au tamis d'air et de lumière.

En vérité, malgré la richesse et la puissance de ses occupants, l'habitation du maître partageait avec la case grossière des Nègres la même fragilité. Comme si, à l'origine, l'architecture de la case paysanne et celle des riches maisons coloniales répondaient au même souci d'équilibre entre force et fragilité, la nature tropicale imposant sur ce point à tous les hommes, au-delà de leur condition, de respecter sa puissance autant que sa douceur, ses cataclysmes autant que ses offrandes. Il s'agit bien là d'une véritable géopoétique architecturale, qui impose à tous de respecter l'environnement spécifique ordonné par les quatre éléments, ce qui fait que l'architecture créole dans ses diverses formes est bien une création commune à l'opprimé et à l'oppresseur. La victime eut cette particularité de jouer avec l'idée de résistance plutôt qu'avec l'idée d'oppression. Dans le désert, la jungle ou l'île, le résistant sait que son salut, face à l'ennemi qui rôde à découvert, dépend d'abord de sa capacité à se fondre dans la nature comme un poisson dans l'eau, à s'en concilier les éléments. L'Europe fut transformée par la Caraïbe alors qu'elle était venue avec armes et bagages convaincue qu'elle avait tout à prendre et rien à négocier. En même temps, elle avait le souci d'importer les signes de sa puissance, l'architecture étant comme partout l'une des manifestations du pouvoir de l'homme visant à *contrer* les rigueurs du temps et de l'espace. Or, paradoxalement, c'est la pensée du roseau qui *fut* à l'origine de l'architecture coloniale. Du même coup, la fragilité et la délicatesse des habitations eurent pour fonction de manifester la richesse et la puissance des maîtres aux yeux de tous, la domination s'érigeant en son contraire, les demeures des oppresseurs n'offrant aucun signe d'invulnérabilité pour prévenir l'invasion. Seuls les forts érigés sur les côtes affichaient leur invulnérabilité, à l'attention d'ailleurs de l'ennemi susceptible de venir par la mer, plus que contre les esclaves à l'intérieur des plantations. Alors que, dans le château fort d'Europe, la fragilité du maître était cachée par les murailles qui manifestaient sa puissance et son invulnérabilité, dans la Caraïbe, au contraire, la violence faite à l'esclave était telle que l'arsenal répressif de la loi suffisait à protéger le maître. Cet arsenal visait à rendre l'esclave incapable de révolte et à lui faire accepter l'inéluctable défaite de toute espérance. Le maître à cheval pouvait passer au milieu de la plantation, il n'était pas perpétuellement en danger. La transgression des murailles du *Code noir* par l'esclave ouvrait un espace de violences codifiées, très puissantes, exercées par les maîtres, et consistant en un éventail de punitions graduées.

L'habitation-roseau, exposée aux révoltes comme aux cataclysmes, rend poreux l'un à l'autre les deux mondes de l'opprimé et de l'oppresseur : d'un côté, surveillance permanente du travail par les géreurs à cheval, interdiction d'expression des conflits comme des connivences, des bagarres comme des musiques, sur le territoire des esclaves à portée de regard et d'oreille des maîtres. De l'autre côté, à l'inverse, vulnérabilité du territoire des maîtres, des cuisines aux chambres intimes, pénétré du matin au soir par les serviteurs, sans pont-levis ni tranchées contre les invasions.

Les cases sont visibles depuis l'habitation, et l'habitation est visible depuis les cases. La possibilité pour l'esclave en révolte d'investir immédiatement le lieu du pouvoir et de la maîtrise qu'est la maison du maître est tellement évidente qu'elle suppose en retour l'exercice absolu de la domination par le maître. Cet absolu n'a d'égal que celui des interdits. Si on passe, on est puni. Mais nulle douve ne démarque l'interdit. Véritablement (sauf demande expresse), l'esclave n'avait pas le droit de passer la frontière symbolique entre maîtrise et domesticité. Tel est le sens d'une scène très forte

de la première pièce d'Aimé Césaire, *Et les chiens se tai-*
saient, qui décrit le meurtre du *bon maître* par le *bon*
esclave révolté. Au milieu de la révolte, les esclaves inves-
tissent la maison, et le rebelle entre seul dans la chambre où
le maître est allongé sereinement sur son lit. Le maître est
surpris par l'intrusion de l'esclave dans son espace intime.
Sur le dernier rempart de sa fragilité exposée, sans armes ni
défense, il espère que son salut viendra du geste d'humanité
de celui qui tient son sort entre ses mains. Au mieux peut-il
penser que son esclave usera de sa puissance pour le protéger de la révolte. Comment l'esclave pourrait-il accomplir
le geste suprême de sauvagerie à l'encontre d'un homme
désarmé qui ne présente plus aucun des signes de la maîtrise
honnie? Le maître croit jusqu'au dernier instant au pouvoir
d'interdit de son regard d'abord incrédule, sévère, puis
apeuré. Pourtant, le rebelle l'assassine avec son coutelas
après l'échange silencieux de leurs regards. «C'est le seul
baptême dont je me souvienne aujourd'hui», déclarera-t-il
avant son exécution. Le maître lui avait rendu visite dans sa
case pour venir admirer l'enfant nouveau-né et spéculer sur
le profit qu'il tirerait de ce futur bel et bon esclave. L'esclave a rendu à son maître sa visite.

C'est la puissance de ceux des cases qui a fini par
vaincre le pouvoir de ceux des habitations, et arracher l'abolition de tout esclavage, et s'approprier ensuite l'héritage
culturel d'une architecture créole qui n'a jamais inclus la
force dans la topographie, mais qui a toujours offert au
contraire l'image de la beauté harmonieuse, de la jouissance, et du mariage possible de l'ombre et du soleil.

Si la révolte absolue passe par le meurtre du maître, elle
a surtout pour but de faire reconnaître l'humanité du meur-
trier. À la question: «Qui a les sentiments humains?»
l'idéologie coloniale répond: «C'est bien le maître, même
s'il les refrène en lui pour être un bon maître, c'est-à-dire,

pour être quelqu'un qui opprime à la perfection.» L'idéologie coloniale veut faire accroire que l'esclave, lui, a perdu ses sentiments, que ceux-ci auraient été extirpés de son corps par la déportation, la traite et l'isolement. La réalité est exactement inverse. L'esclave est porteur des sentiments fondamentaux de liberté et de dignité. Jamais aucun esclave d'Afrique ne s'est considéré lui-même comme un *bien meuble*, et l'énergie de sa résistance l'atteste tout entière.

La porosité de l'habitation n'était pas seulement architecturale, elle était aussi humaine, en raison du rôle qu'y jouaient les esclaves domestiques. Tout le personnel de la maison était esclave, quelles que fussent les fonctions : nourrice, enfant esclave de compagnie de la petite maîtresse, institutrice, intendante, cuisinière, cocher. Il n'y avait pas de personnel libre intermédiaire Et, à la moindre transgression, chacun pouvait être renvoyé, ou battu, ou vendu. Une telle porosité entre le monde de la maîtrise et le monde des opprimés, la sécurité des maîtres dépendant d'abord de l'obéissance voire de la fidélité et des *sentiments humains* du personnel domestique, explique le brouillage des espaces de pouvoir, les tissages de connivences secrètes, les transgressions, et la complicité possible entre les esclaves de l'habitation et ceux de la plantation. Le maître n'avait pas de gardes à la porte de sa chambre, sa sécurité dépendait des esclaves qui logeaient dans la maison, qui devaient le protéger en toute occasion.

La révolte consiste d'abord à refuser la légitimité de ce partage, un peu comme le cyclone, qui détruit le signe extérieur de l'oppression. Mais, en même temps, le révolté comprend que ces signes ont été légitimement créés par lui, et pour lui aussi, d'où le fait qu'il saura récupérer aussitôt après sa liberté conquise contre l'esclavage, ces motifs, ces formes, ces architectures, ces costumes, ces robes, ces colliers non pas comme un larcin, mais comme un butin de victoire.

La révolte libère aussi les signes après la libération des êtres. Ainsi, après les victoires de l'abolition, toutes les pratiques de la culture créole vont devenir signes et motifs revendiqués de l'identité créole. La conscience patrimoniale naît dès qu'un peuple se réapproprie un patrimoine interdit dont il se revendique l'héritier. Conviction puissamment exprimée par l'abbé Grégoire, après 1789, pour contrer les premières destructions par vengeance du patrimoine de la noblesse, lui qui luttait en même temps pour l'abolition immédiate de l'esclavage par la Révolution.

C'est comme cela que s'est édifiée l'identité créole, à partir d'une surabondance de formes européennes retournées en *armes miraculeuses* par l'humanité esclave dénudée. Robinson avait commencé à reconstruire son Europe perdue à partir des débris recueillis sur le bateau anglais échoué à sa portée. Mais l'esclave d'Afrique était dans la situation de Vendredi et non de Robinson, sans aucun débris de richesses d'Afrique échouées pour son salut. L'urgence pour Robinson, c'était de construire un refuge et de protéger sa vie afin d'attendre le passage d'un navire salvateur pour son retour. La force de Vendredi, c'était son enracinement dans son île, et c'est ce choix qui a été celui de l'esclave africain sans espoir de retour sur aucune terre promise à sa libération. Ainsi se sont édifiées les cultures créoles, à partir de tout ce qu'il y avait à portée de main, c'est-à-dire les signes et les matériaux apportés par l'Europe, toute la mémoire d'Afrique secrètement engrangée, plus les offrandes de la nature dans laquelle l'immigré esclave s'était enraciné.

À l'extérieur du monde de la plantation et de l'habitation, en dehors de la nature, il y a aussi l'espace de la ville, le lieu de présence du pouvoir central européen, et du monde artisanal ou commerçant, majoritairement composé de la classe des métis affranchis, les « libres de couleur ».

Cette distinction entre l'habitation et la ville est allée en s'accentuant tout au long des siècles, la topographie soulignant les relations dialectiques développées entre les deux mondes : celui des colons et celui du gouverneur. Leur coexistence assurera d'abord un certain équilibre des forces entre la pérennisation du système esclavagiste voulu par les colons, et ses remises en cause, dues aux révoltes des esclaves, aux revendications des libres de couleur, et aux évolutions politiques et économiques extérieures induisant des réaménagements de la servitude, jusqu'aux abolitions, puis aux contestations politiques du système même de la colonisation.

Car la ville est aussi le lieu d'exercice du pouvoir central, celui de la métropole représenté par le gouverneur, d'abord au nom du roi, puis au nom de la Révolution, et enfin de la République. Sous toutes ses formes : du *Code noir* jusqu'aux décrets d'abolition puis aux lois de la République, ce pouvoir de l'État a ordonné le fonctionnement d'un système qui avait pour origine et pour règle la toute-puissance et l'arbitraire des colons locaux. C'est le colon qui se considère comme seul maître des lieux, propriétaire de l'île, dont l'État central ne lui apparaît au mieux que comme un protecteur militaire, ou encore un usufruitier économique, et au pire comme un obstacle politique à la dictature des maîtres des lieux, en tout cas comme un élément étranger, venu toujours de trop loin perturber le bon fonctionnement local du système colonial. Le *Code noir* lui-même était présenté par ses concepteurs dans toute son inhumanité, comme un pis-aller face à la loi du plus fort, un frein légal à l'arbitraire sans foi ni loi des colons. Ce qui explique que les colons aient eu la tentation permanente de trahir leur mère patrie européenne, au profit d'alliances opportunistes avec l'ennemi du moment, pour aller, pour certains, jusqu'à une indépendance par rapport à l'État central, attitude minoritaire mais récurrente qui a perduré aux Antilles jusqu'à la Seconde Guerre mondiale, où la Dissidence par solidarité politique avec la résistance au nazisme fut plus le fait des descendants d'esclaves que des héritiers des colons.

La représentation architecturale de la puissance de l'État européen n'obéit donc pas aux mêmes logiques que celle de l'habitation coloniale. Les forts et les ports manifestent les signes d'une puissance importée telle quelle, comme l'architecture Vauban, sans effort d'adaptation à l'environnement. De fait, l'adversaire principal était surtout l'escadre ennemie, car les îles de la Caraïbe constituaient souvent un enjeu pour les États européens lorsqu'ils négociaient entre eux des traités de paix. À l'inverse, les révoltes des esclaves à l'intérieur avaient d'abord pour cibles les habitations et non pas la ville et les troupes du fort, qui venaient par la suite au secours des planteurs assiégés. Les révoltes prenaient ainsi des formes de guérilla souterraine et nocturne, avec le secours de la géographie, et non celles d'une bataille rangée entre deux armées qui sont face à face en plein jour.

L'architecture de l'État a eu pour fonction de démontrer la puissance de l'Europe face aux cataclysmes de la nature, avec une fonction politique de protection de tous les habitants contre leurs destructions, afin que la présence européenne apparaisse la seule capable de lutter à armes égales contre les cyclones, les séismes et les éruptions, et soit ainsi légitimée par la fonction de protection du colonisé par le colonisateur. Avec l'idée, présente depuis trois siècles dans les rapports administratifs successifs que les gouverneurs établissaient après chaque catastrophe, selon laquelle chaque nouveau cataclysme devait servir à enraciner plus fortement la présence de l'État européen. Construire des édifices qui pourraient résister « à toujours », tel était bien le but politique associé à la fin anthropologique : se rendre *maître et possesseur de la nature,* selon le projet de l'époque classique, loin des pays tempérés qui en avaient généré l'idée, là où la surpuissance des éléments se posait comme un défi. L'édification de Saint-Pierre à la coulée du volcan et sa destruction en quelques secondes en 1902 prennent une valeur symbolique qui dépasse la réalité de ce combat de titans, qui nous rappelle que bien des villes sont édifiées en des lieux propices à leur disparition, comme Pointe-à-Pitre et La Nouvelle-Orléans, deux villes voisines de Saint-Pierre, l'une par les séismes, l'autre par les cyclones et leurs inondations. L'exemple le plus important sur le plan de l'urbanisation « à toujours » est celui du cyclone de 1928, premier *cyclone du siècle* qui ravagea l'archipel jusqu'à la Louisiane, en dévastant totalement la Guadeloupe. À la suite de cette catastrophe qui eut un retentissement mondial après celle de la montagne Pelée, l'État entreprit un important et rapide effort d'investissement, car il était bon que pour la grande célébration nationale du tricentenaire fêtant le rattachement des Antilles à la France en 1935 la Guadeloupe puisse présenter sa guérison accomplie grâce à l'œuvre de la mère patrie. L'État envoya Ali Tur comme architecte du gouvernement pour accomplir la reconstruction des édifices publics qui avaient presque tous disparu : ports, hôpitaux, mairies, écoles, églises, du palais du gouverneur jusqu'aux monuments aux morts. Ce programme coïncida avec l'arrivée aux Antilles du béton armé, qui permit, à la grande échelle des trente-quatre communes de l'île tout entière, d'utiliser ce nouveau matériau qui allait symboliser l'inscription « à toujours » de la modernité et de la pérennité française face à la fragilité de l'architecture coloniale en bois. De plus, la volonté d'inscrire une signification politique dans le plan d'urbanisme fut mise en œuvre à Basse-Terre, la capitale construite en pente sur le flanc du volcan, où le palais du Gouverneur – l'actuelle préfecture – fut reconstruit en hauteur, *à la tête,* puis en contrebas de celui-ci, le Conseil général et le palais de Justice, à égale altitude, ce qui fait de ce chef-lieu sans doute l'un des seuls où la répartition des pouvoirs entre l'exécutif, le législatif et le judiciaire est strictement inscrite dans le paysage de la ville, avec trois bâtiments d'égale importance dans leur volume et leur forme, bien séparés par l'avenue principale que le peuple ou la troupe peut investir pour les réunir ou les opposer, l'ensemble débouchant sur la mer qui jusqu'à nos jours, malgré les enrochements renouvelés du port par les Sisyphes de l'Équipement, menace régulièrement les préfets, les conseillers et les juges de ses emportements naturels.

Ali Tur était né et avait longtemps vécu en Tunisie où son père cévenol s'était établi comme architecte. En hommage à l'architecture et à la poésie arabes que son père aimait tant, il reçut le prénom d'Ali. Ali Tur, fort de cette expérience d'une architecture méditerranéenne bien adaptée à l'environnement climatique, en appliqua les leçons pour les quelque cent vingt bâtiments publics qu'il reconstruisit, en choisissant le blanc pour couleur dominante comme dans une ville d'Arabie. Ce qui confère encore aujourd'hui à la Guadeloupe une grande originalité architecturale publique métissant visiblement les traditions méditerranéennes, la modernité architecturale des années 1930 et l'inventivité plastique liée à la souplesse du béton armé, un nouveau matériau qui se révéla apte aux arabesques et aux jeux de formes géométriques que l'architecte se plut à édifier, notamment pour le clocher de la cathédrale qui s'apparente à un minaret. «J'eus soin d'orienter mes bâtiments de manière à ce qu'ils puissent être traversés par la brise… Je construisis des galeries couvertes qui abritent les façades

des rayons directs du soleil », écrivit Ali Tur à son retour. Paradoxe extraordinaire d'une volonté politique en quelque sorte déplacée, ou marronnée, par l'importation d'une tradition certes étrangère mais venue d'une nature cousine, créant un urbanisme et une architecture de créolisation méditerranéenne, unique exemple à cette échelle d'une île entière modelée après un cataclysme par le soin d'un métis culturel soucieux de la nature et de sa culture, en tissant pour ce faire un modèle architectural reliant la Caraïbe à sa sœur Méditerranée.

Au temps de l'esclavage, le mobilier le plus précieux, le bien meuble essentiel, c'était l'esclave.

Corps maîtrisé dès l'origine. L'âme n'était pas comprise dans le prix de vente ni le prix d'achat. En certains points de départ d'Afrique, l'esclave à la veille d'embarquer devait accomplir des rituels autour d'arbres de l'oubli afin que son corps soit bien nettement délesté de son âme qui ne saurait être vendue ni faire partie du voyage. Et ce soin des vendeurs confortait le souci des acheteurs européens de ne pas s'encombrer de corps renforcés de leurs âmes, mais d'emporter en Amérique des cadavres bien vivants sans les attributs d'humanité que sont la mémoire et les sentiments.

Le séjour dans la cale pendant le voyage de la traite aboutit à la réduction suprême de l'homme au rang de bois d'ébène, enchaîné, sans rien voir ni entendre, pour donner toutes ses chances à la désespérance et à la déshumanisation, et espérer l'avoir réduit au statut d'une âme morte emprisonnée dans un corps de bête de somme. Longtemps, les acheteurs et les vendeurs ont pu croire que leur programme s'était effectivement réalisé, alors même que tout l'effort des esclaves arrivés nus avait été de rapatrier à l'intérieur de leur corps leur cœur et leurs sentiments intacts ou brisés qu'ils n'avaient à aucun instant perdus. Les sentiments humains ne disparaissent pas, et sont d'autant plus précieux du seul fait qu'ils se réfugient hors de toute vue dans le for intérieur. Aux Antilles, reprocher à quelqu'un d'être *sans sentiments* est une grave accusation !

À l'arrivée, ce corps rescapé, ravitaillé, rapiécé, nettoyé, était rendu présentable pour la vente au meilleur prix. Paradoxalement, il était transformé en *corps célébré* – pour sa force, sa vigueur, sa résistance, sa puissance, sa beauté, sa capacité de travail ou sa virtualité de reproduction. Célébration d'autant plus forte qu'elle supposait acquise la décérébration d'un arrivage de zombis.

À la vue, le corps est donc *mutilé,* d'abord prisonnier des chaînes, puis, après la vente et la nécessaire libération des chaînes pour l'exercice du travail, marqué du sceau du nouveau maître, et des tenues rudimentaires de la condition servile, visant à cacher la nudité interdite, avec notamment l'obligation de circuler pieds nus. Toute transgression était immédiatement inscrite par des marques sur le corps : coups, ou mutilations codées selon la gravité des méfaits (doigt coupé pour une tentative de marronnage, puis main et jarret pour les suivantes). Mais l'inscription des marques de la punition s'inversait en signe de la rébellion, car la mutilation visible signalait les tentatives de libération, imposant dès lors le respect et l'admiration à l'inverse de la crainte ou du mépris projetés. Car seul un puissant *sentiment* de liberté peut pousser un corps prisonnier à travailler *en toute conscience* à sa libération.

À l'origine aussi, le corps esclave était un *corps solitaire*.

Systématiquement coupé de tout, son histoire, sa géographie, son cheminement : sans même savoir qu'il était en Amérique. D'autant plus que l'esclave africain continental pouvait avoir l'illusion d'un *voyage inachevé* une fois débarqué sur la petite île antillaise, qui pouvait lui donner l'impression de seulement «changer de bateau», à l'inverse du continent américain, qui, au nord comme au sud, est un *point d'arrivée,* point de non-retour en raison même de la vastitude de son espace.

Un corps également coupé systématiquement de ses proches, car les acheteurs pratiquaient une dispersion des ethnies afin de prévenir toute connivence de langage et de mémoire. *Un corps silencieux* par impossibilité à l'arrivée de partager son langage avec le maître étranger ou avec ses compagnons Wolof, Congo, Yoruba, Ibo, Bantou… tous étrangers. Ou de communiquer avec les éléments : terre inconnue, mer hostile, soleil indifférent, forêt interdite. Toute solidarité avec le voisin et avec l'environnement était à inventer totalement, à partir de la solitude première, sans rituels de secours, sans socialisation préalable, sans médiation. Sans doute la capacité caribéenne à trouver le proche dans l'autre, la part de soi dans l'étranger, le partage de l'inconnu, sans les repères de l'origine, du clan, de l'ethnie, de la peau ou du territoire vient-elle de cette conscience solitaire dès l'origine, qu'il fallut justement transcender à tout prix pour trouver d'urgence la solidarité *élémentaire* sans rites ni frontières.

Jamais l'esclave africain ne se considéra lui-même comme un bien meuble. Ni le vendeur ni l'acheteur ne furent capables de réduire comme prévu sa condition humaine de *corps sexué, sensuel et spirituel* qui révélait en lui et en l'autre l'expression corps et âme de sensations, de sentiments et de passions.

Il importe d'observer ici que la représentation de

l'homme africain comme sauvage, bon ou mauvais, primitif sans âme ni science, est une construction idéologique bien postérieure en réalité aux siècles de la traite, et qu'elle prit forme et ampleur au milieu du XIXe siècle pour légitimer la colonisation du continent noir, qu'elle accompagna fidèlement jusqu'à la décolonisation, dans la pensée et la science comme dans l'imagerie populaire, de Gobineau à Alexis Carel, jusqu'à « Y'a bon, Banania » et *Tintin au Congo*. Cette construction idéologique fut abusivement étendue aux périodes antérieures de l'histoire des relations entre les civilisations africaines et les autres civilisations d'Europe et d'Orient, en cachant, d'une part, le développement avancé des sociétés et des États du continent noir à ces époques, et, d'autre part, la richesse de leurs échanges de tous ordres avec l'Europe et avec l'Orient, intellectuels, économiques, politiques et artistiques, qui eurent lieu pendant des siècles, au moins de l'époque de saint Augustin jusqu'à l'avènement de la traite.

C'est ce que révèle par exemple la représentation du Noir et de l'Afrique dans la peinture européenne. L'historien d'art Daniel Arasse montre bien dans une analyse de *L'Adoration des mages* de Bruegel à quel point l'Afrique, symbolisée par le roi mage Gaspard, manifeste depuis la fin du XVe siècle l'image et la preuve de la spiritualité universelle du christianisme *premier,* débarrassé des antagonismes et des schismes occidentaux, et comment cette symbolisation permet d'imaginer le contournement du barrage méditerranéen de l'islam florissant. Ce qu'atteste l'image prestigieuse en Occident du lointain royaume d'Éthiopie, ou encore le mythe du royaume chrétien nègre du Prêtre Jean au milieu du XVe siècle, à une époque où Cham le maudit n'avait pas encore été recouvert d'une peau noire. Et Daniel Arasse de préciser, dans son livre *On n'y voit rien*, paru chez Gallimard en 2004 : « Ainsi, par-delà l'évolution de la peinture flamande et sous couvert d'une composition à l'italienne, Bruegel fait retour à une source d'inspiration où le Noir, le regard du Noir était porteur de la plus haute spiritualité et attestait la vocation universelle de la foi chrétienne, c'est-à-dire aussi, dans les termes de l'époque, l'universalité de l'humanité des hommes... C'était avant? Avant le reste. Avant surtout que le développement de l'esclavage et de la traite des Noirs n'encourage le développement de l'idéologie et du discours racistes qui en justifiaient la pratique.» Remarquons aussi que la présence des serviteurs noirs richement parés dans la peinture italienne était là pour attester sur la toile le raffinement et la richesse des protagonistes de la scène. Tout comme plus tard leurs descendants, «esclaves de première classe» de La Nouvelle-Orléans, serviteurs de compagnie dans l'Amérique créole, furent également richement vêtus et parés pour *signifier* la richesse de leurs maîtres, avec leurs peaux noires masquées de vêtements blancs.

L'image du sauvage primitif africain est donc bien postérieure à la pratique de la traite et de l'esclavage. L'Europe n'eut jamais besoin d'une *Controverse de Valladolid* pour s'assurer de l'humanité des Noirs, à la différence du jugement d'inhumanité qu'elle porta sur les Indiens des Amériques, afin de légitimer le génocide en prétextant leur incapacité à s'humaniser en bons chrétiens.

Le statut de biens meubles est donc un masque imposé destiné à justifier la pratique et les modalités nouvelles de la traite atlantique. Afin de légitimer l'inhumanité du traitement des esclaves, on inventa la légende de l'inhumaine sauvagerie des Noirs. Invention à laquelle en réalité ni l'Afrique ni l'Europe n'ont jamais cru, ce qui donne de l'histoire de la constitution des sociétés créoles d'Amérique une tout autre vision que celles de victimes décervelées passivement et asservies à des maîtres tout-puissants. Ces sociétés neuves ont été constituées par la conjonction dialectique des œuvres de tous les arrivants, volontaires ou non, avec le meilleur et le pire des humanités rassemblées de force. Trop soucieuse de sa puissance, l'Europe égara son humanité dans le voyage. Contraint à se dépouiller de l'Afrique, le Nègre préserva l'humanité commune pour soi-même et pour tout autre. Tous deux récoltèrent ensemble un nouveau monde additionné aussi d'Asie et d'Amérindie, avec l'Afrique aux commandes du bricolage réparateur de ces humanités, même si elle n'était en rien responsable ni maîtresse de la trame et du fil.

Les corps des esclaves ont été *recouverts* à la manière des corps européens, dépouillés des modalités africaines de parure : la nudité partielle naturelle ou les costumes traditionnels riches et colorés. L'imposition des pieds nus comme signe visible de l'esclavage n'avait de sens que si le maître lui-même s'interdisait de se montrer pieds nus. Ramener l'Africain à un état sauvage supposait pour l'Européen d'extérioriser avec faste et lourdeur les signes de sa civilisation, par des gestes, des motifs qui étaient le contraire de ce qui aurait pu être attendu sous ces climats. L'esclave femme fut vêtue d'une simple chasuble sous la pression religieuse qui exigeait une pudique couverture des seins, contrastant avec l'habillement luxueux des maîtresses blanches de la plantation, crinolines et chapeaux protégeant en même temps leur peau blanche des rayons du soleil. Les hommes européens, soldats, missionnaires, colons, portaient aussi des vêtements lourds parés de dentelles, souvent de couleur blanche, sans adaptation particulière au climat tropical. Le vêtement terne et uniforme des esclaves hommes et femmes était porté jusqu'à l'usure, et même le *Code noir* eut peine à imposer le minimum décent. C'est aussi contre cette uniformité blanche et la pauvreté des tenues que naquit le riche costume féminin créole avec les corsages et les jupons en dentelle délicatement brodés, les madras multicolores, assortis au bronzage fièrement revendiqué de la peau libérée.

La figure traditionnelle de l'homme est celle du paysan, l'esclave libéré devenu ouvrier agricole est resté le même coupeur de canne. Cette filiation avouée du statut économique montre combien l'abolition a libéré l'esclave sans transformer radicalement la nature ni la représentation de son travail. Le commerce des hommes s'est arrêté, mais pas l'exploitation de l'homme par l'homme, par le maître ou le propriétaire. Les abolitions de l'esclavage en Amérique ne marquent pas la victoire absolue sur toutes les formes d'oppression, elles marquent la victoire totale contre cette forme particulière inhumaine d'oppression : le fait pour une personne d'être légalement vendue ou achetée, étape fondamentale de l'histoire de l'humanité, initiée dans la Caraïbe, mais qui n'a pas suffi à instaurer ni l'égalité sociale ni d'autres libertés essentielles, toujours autant bafouées après les abolitions par la suite, avec l'accentuation mondiale de la colonisation, notamment en Afrique.

Dans beaucoup de cases antillaises, on trouvait jadis en guise de décoration, parfois de chaque côté d'un crucifix, deux tableaux importés de France par les colporteurs : les populaires *Glaneuses* et *L'Angélus* de Millet, qui montraient pour l'un la modestie déférente d'ouvriers agricoles au rappel du rituel religieux, pour l'autre des paysannes blanches et pauvres ramassant ce qu'elles pouvaient pour nourrir leurs enfants. La présence quasi naturelle de ces reproductions chez ces paysans noirs manifeste bien, là aussi, la capacité humaine d'aller au-delà des assignations prétendument raciales pour retrouver les connivences élémentaires au-delà des masques et des peaux, et de percevoir certaines similitudes de conditions sociales et économiques qui déterminent les complémentarités des luttes à venir, une fois acquise l'abolition de l'esclavage, au prix du maintien du système économique de la colonisation. L'œuvre d'art de Millet ayant ici la puissance de faire ressentir l'humanité commune derrière les couleurs particulières de chaque condition paysanne, et tirant sa puissance d'évocation de pouvoir représenter l'image d'une internationale des opprimés.

L'image du paysan coupeur de canne accomplit donc une fusion de représentations, une véritable créolisation des signes, par un détournement des significations d'abord imposées. Elle mêle l'image assumée de l'esclavage originel à celle de la révolte et de la liberté, tout comme la rhétorique des danses traditionnelles, des danseurs aux pieds nus, est celle de l'expression du corps et de l'esprit libérés. À l'instar de certaines danses africaines où les pieds nus reçoivent l'énergie tellurique pour la transmettre aux forces libérées pour l'élan de la danse, ceux-ci manifestent aussi l'enracinement conquis dans la terre d'immigration, ainsi que la liberté d'aller pieds nus une fois conquise la liberté de porter des chaussures.

Je me rappelle par exemple combien dans mon enfance le spectacle comique des pieds nus crottés du père Hector, noircis de terre toute la semaine à cause de son travail ingrat de cantonnier municipal de Saint-Claude, contrastait avec notre vision admirative de la belle paire de *souliers-deux-tons* blanc et marron qu'il arborait pour pavaner avec élégance les dimanches matin dans son costume bien escampé sur la place de l'église.

Ainsi, la genèse des costumes créoles traditionnels, masculins et féminins, s'est opérée par un contournement des codes précédemment imposés. Le costume créole féminin porte les couleurs et la richesse des attributs européens détournés en signe de liberté conquise : dentelles, bijoux, *foulards et madras*. Et le costume traditionnel masculin, sobrement composé d'un pantalon qui laisse le torse nu ou visible sous la chemise blanche ouverte, porte la marque de cette quasi-nudité qui fut imposée, retournée ici encore, mais qui est l'affirmation de la beauté et de la force du corps musclé et agile du danseur-paysan. (Sauf dans les danses de salon où c'est le costume blanc masculin, élégant et bien coupé, qui s'harmonise avec la grâce colorée du costume créole féminin.) C'est bien la danse du couple qui, à travers les harmonies, les cassures, les syncopes, le mime de la guerre comme de l'amour, reconstitue l'histoire des oppressions, la danse du *Kasé Kô,* des *corps cassés,* tout en manifestant leur dépassement dans la liberté reconquise et l'alliance retrouvée du corps nu et de la parure, des couleurs et des gestes de la femme et de l'homme. Une caractéristique commune à des danses caribéennes aussi différentes que la rumba, la biguine, le meringue, le lewoz ou le calypso.

L'homme paysan est souvent représenté avec son coutelas, un symbole double : inoffensif dans sa fonction d'instrument de travail autorisé, il représente aussi l'arme de la révolte face aux fusils et aux canons. Chez le Rebelle d'Aimé Césaire, il est l'instrument du meurtre du maître. La figure du coupeur de canne, figure éminente du paysan enraciné, rappel de l'oppression comme de la liberté conquise, s'est aussi transfigurée en celle du danseur des ballets créoles traditionnels, tête nue, pieds nus et torse nu. L'art a ainsi pu représenter l'histoire de l'oppression et de sa récusation dans un seul et même corps, celui du danseur, emblème esthétique de la libération.

La puissante barrière des interdits dans les relations humaines n'empêcha pas cependant une créolisation métisse, notamment *via* la *passion du corps* des maîtres pratiquant le viol, ou nouant de véritables relations amoureuses avec une esclave noire ou avec une métisse affranchie. Ainsi donc, la métisse affranchie devint une figure inclassable, bâtarde impure, femme délivrée, qui représentait de façon fantasmatique la liberté supposée de mœurs et de condition, et la puissance de la séduction. De ce point de vue, les signes d'indépendance féminine furent revendiqués par la Mulâtresse, dans ses parures et ses postures de femme libérée, marques d'une liberté sexuelle et sensuelle, à laquelle ni l'esclave noire ni la maîtresse blanche ne pouvaient prétendre, prisonnières chacune de leur condition assignée. Ni pures maîtresses ni pures esclaves, les Mulâtresses libres se jouèrent des maîtres en se jouant de toute maîtrise avec leurs sentiments, en brouillant à leur manière la dialectique du maître et de l'esclave par la confusion des sentiments.

Ainsi, les parures qui étaient uniquement du côté de la maîtrise furent déplacées du côté de la transgression. Ce qui, inévitablement, donna lieu à une certaine jalousie de la femme blanche qui jamais n'eut droit à cette liberté absolue de vie et de représentation que la Mulâtresse libre avait reçue en octroi même contre son gré, et que la femme noire s'appropria après l'abolition comme le trophée d'une liberté conquise sans compromis. De la chaîne de l'esclave au collier d'or *transitant* de la maîtresse blanche à l'affranchie métisse, puis prenant sa véritable fonction de beauté pure et de liberté absolue, au cou de la femme noire issue de l'esclavage qui le porta non comme symbole de revanche, mais comme pur bijou forgé à partir de la chaîne fondue, puis transmutée en or pour éclairer la beauté des corps transfigurés.

C'est donc aussi beaucoup par la transgression du statut des femmes, Blanche, Négresse, ou Mulâtresse, qu'est passée la subversion du système esclavagiste. L'abolition de l'esclavage put se réaliser grâce aussi à la puissance de la lutte des femmes pour leur libération, non pas contre le pouvoir de tout homme, mais contre les hommes de pouvoir, c'est-à-dire d'abord contre la loi des hommes européens. En même temps, la profonde égalité de condition des hommes et femmes esclaves, en dépit des oppressions particulières à chaque sexe, servit de ciment à la revendication en faveur de l'égalité des sexes. Les formes de transgression internes furent surtout portées par les femmes, dont la présence était majoritaire à l'intérieur de la maison du maître, cuisinière, lingère, intendante, maîtresse, préceptrice, couturière, cantatrice, ou poupée vivante des enfants. En alliance souvent secrète avec la transgression externe des hommes et femmes restés prisonniers des champs de canne, et de ceux échappés en marronnage.

Parfois, les femmes métisses furent considérées, de par leur statut d'entre-deux, comme peu fiables : femmes mais libres, libres mais femmes, instrument du métissage imposé par la relation sexuelle entre le maître blanc et l'esclave noire. L'autre relation symétrique, celle d'un homme noir avec une femme blanche, constituait le tabou majeur et inimaginable, ce qui sans doute n'empêcha pas là non plus l'expression même des *sentiments humains,* thème central du *Bug Jargal* du très jeune Victor Hugo, où l'amour *romantique* du chef rebelle nègre pour la jeune fille blanche qu'il a sauvée et recueillie est la plus intense manifestation de son humanité déniée par la meute sauvage de ses poursuivants blancs. Une Mulâtresse maîtresse du maître était une bonne espionne pour aller informer des gens qu'en apparence elle avait trahis. La résistance se fit toujours en définitive au nom des sentiments. Rien ne serait plus faux de penser que la lutte acharnée pour l'abolition fut en Amérique un combat sans merci de maîtres et d'esclaves *sans sentiments.*

Et c'est aussi sans doute pour cette raison que la lutte pour la dignité prit la forme de l'affirmation culturelle et artistique, seule capable de manifester aux yeux et aux oreilles de tous l'humanité préservée et célébrée de ceux qui ne l'avaient en rien perdue. Un combat pour que les formes d'expression correspondent à leur vrai fond d'humanité. De là procède l'importance majeure accordée aux Antilles à la reconquête de la parure des corps, à l'invention d'un art neuf du paraître : foulards, madras, grains-d'or et collier-chou...

Pour analyser la fonction des bijoux dans la parure antillaise, on peut partir de la belle formule de René Ménil : « Nous ramassions des injures pour en faire des diamants. » Ou pour en faire de l'or, s'agissant des bijoux ! En effet, aux Antilles, ce ne sont ni les matériaux naturels des parures amérindiennes (coquillages, plumes, fils de coton, plumes) ni les pierres précieuses du commerce continental qui forment la base des parures créoles, la riche perle d'Orient étant peu exportée, mais essentiellement l'or pur, en abondance alentour sur le continent.

À partir de la tradition africaine du travail de l'or, associée aux savoir-faire des nombreux artisans venus d'Europe, est née la *chaîne-forçat,* parure de la femme créole, quand la maîtresse, elle, portait les riches pierres précieuses serties en France. À l'origine, cette chaîne était au cou de la femme entretenue, le signe ostentatoire d'appartenance à l'homme qui la lui avait offerte. La marque d'opulence était notée par la longueur de ce riche collier, appelé au XVIIIe siècle l'*esclavage,* qui devait faire plusieurs tours du cou et retomber très bas sur la poitrine, en rappel évident des chaînes de l'esclave. Preuve s'il en faut que la maîtrise présumée des représentations par le maître ne lui garantissait en rien sa maîtrise des significations symboliques. La liberté d'interprétation du signe libéra l'objet et celle qui le portait de l'assujettissement. C'est ainsi que, chez les affranchies et les libres de couleur, le port ostentatoire des parures et bijoux, grains-d'or et colliers-choux, dans les grand-rues, les fêtes et les grand-messes, affichait l'image de leur liberté conquise. Image dangereuse pour les colons, car elle manifestait l'avancée de la liberté à travers le développement de la classe des libres de couleur, et leur rôle socio-économique grandissant, au point que le pouvoir promulgua de nombreuses ordonnances somptuaires dès le début du XVIIIe siècle jusqu'à la Révolution, pour interdire, quoique sans succès, le port de certains bijoux et tissus à cette population créole.

C'est dans ce contexte que les artisans locaux forgèrent des formes nouvelles, héritant des savoir-faire de France, d'Afrique et d'Orient, travaillant l'or pur en le dévoyant dans ses colorations, rose, rouge et même vert, en jouant de ses épaisseurs (fil d'or, feuilles minces ou plaques superposées) et en célébrant la connivence avec le nouvel environnement : boucles d'oreilles en fagots de canne, chenilles, clous, têtes-négresses, et le fameux collier-choux en forme de perles creuses, bijou-symbole du monde créole, qui privilégie la délicatesse sur la pesanteur, la dentelle ouvragée sur la densité du métal.

La célèbre chanson « Adieu foulards » fait l'inventaire des éléments précieux de la parure de la belle Doudou sur le départ : « Adieu foulards, adieu madras, adieu grains-d'or, adieu collier-chou… » Elle montre bien la place importante qu'occupe le madras, une étoffe venue d'ailleurs, pour la confection des robes et des coiffes de la femme créole. Enfant, j'ai longtemps cru qu'il était un pur produit de la Caraïbe, tant il semble symboliser à lui seul les « couleurs identitaires » antillaises, du costume créole jusqu'au service de table, alors qu'il a été fabriqué en Hollande à partir de techniques indiennes. L'unité de chaque pièce du madras provient d'un foisonnement de couleurs et d'alliances, avec selon les coupons une dominante rouge, verte, bleue ou jaune, qui pourrait peut-être représenter les quatre éléments. Le madras n'est pas un patchwork, et ses motifs obéissent à un ordonnancement géométrique. Il est, à lui seul, un condensé d'énergie, presque un tissu-remède, devant les risques de chaleur et de refroidissement. On le ceint autour de sa taille quand on s'affaire au jardin pour éviter le tour de reins, et on le porte à son cou contre les maux de gorge. Il sert surtout à faire des vêtements qui *tiennent* bien, notamment les robes traditionnelles du costume créole, façonnées comme des sculptures. Et, comme pour équilibrer sa lourdeur et son éclat, le madras est toujours associé au corsage blanc en fines dentelles, et au jupon que l'on fait dépasser de la robe pour mettre en valeur la délicatesse des broderies.

En dépit de toutes ces distinctions de représentations de l'homme et de la femme, il apparaît cependant que les délimitations des pratiques culturelles selon les distinctions sexuelles sont moins strictement définies qu'en Europe ou en Afrique. Cela est bien sensible dans les traditions fortement clivées par la différence des sexes, comme la danse et la musique qui, même si elles sont traversées dans la Caraïbe par des césures quasi universelles, manifestent une certaine porosité des rôles et des assignations, et qui font de la Caraïbe une des rares zones du monde où a été transgressé l'interdit fait aux femmes de jouer du tambour. L'image provocante et sensuelle souvent affichée d'une femme battant le rythme assise jambes écartées sur le tambour couché brouille les lignes de démarcation entre signes phalliques et signes féminins. Image suggestive, justement parce qu'elle est possible et non pas seulement fantasmée, choquante pour certains ou revendiquée par d'autres en ce qu'elle marque jusqu'où le combat pour la liberté de tous a pu accompagner celui des femmes pour l'égalité.

De même, une fois conquis le droit d'écrire, l'écriture de fiction, de poésie ou de témoignage fut également partagée entre hommes et femmes. Aussi, la question de l'écriture féminine, considérée un temps en Europe comme une revendication féministe face à l'emprise de codes littéraires érigés par et pour les hommes, doit-elle être référée aux

Antilles à un autre contexte et à une autre histoire. Dès l'origine, l'écriture fut l'apanage des femmes, en particulier pour celles qui eurent très tôt en tant qu'esclaves les fonctions de médiatrices de l'éducation et de l'expression artistique, comme par exemple les premières institutrices après l'abolition. Ainsi, l'écriture des femmes ne fut pas conçue en révolte contre une écriture masculine, mais c'est d'abord contre l'esclavage de la lecture et de l'écriture interdites ou imposées par l'oppresseur que furent détournées les lectures du maître ; chaque livre chapardé, chaque page d'écriture noircie dans l'ombre étant appelés à comploter contre le livre unique de la maîtrise absolue, la bible de l'inhumain : le *Code noir,* seul livre ennemi de tous les livres, puisque ennemi de toute liberté, donc de toute lecture conçue comme pratique qui *requiert* pour s'exercer, comme le disait Sartre, la liberté préalable du lecteur. Aux Antilles et aux États-Unis, le lecteur a souvent été d'abord une lectrice, ce qu'attestent les premiers textes recueillis – poèmes de douleur ou d'espoir, ou témoignages de dénonciation – ainsi que le grand nombre de femmes présentes au premier plan, toujours aujourd'hui, en littérature, en musique et dans la danse contemporaine.

Un très grand texte d'écriture féminine symbolise à mes yeux toutes ces contradictions fertiles qui édifièrent la Caraïbe. Il s'agit d'un écrit de Suzanne Césaire, l'une des principales animatrices de la revue *Tropiques,* une revue culturelle qu'elle et son époux, Aimé Césaire, avaient créée avec René Ménil, Lucie Thésée, Aristide Maugée, pendant la guerre, entre 1940 et 1945. Ce texte, *Le Grand Camouflage,* fut publié en conclusion du dernier numéro de la revue. Suzanne Césaire y présente sa belle *vision* de l'identité antillaise dans toutes ses dimensions (géographique, historique, anthropologique) ainsi que le rappel de la puissance européenne, la présence africaine profondément enracinée à travers la figure du paysan, la confiance dans l'inscription de ces peuples dans la modernité lorsqu'elle évoque les enfants si aptes au bricolage de jouets comme le sont leurs aînés à l'assemblage créatif des *débris de synthèses* qu'évoquait son compagnon. Elle y parle aussi du personnage de la nature, de la puissance délicate des fougères arborescentes, qui, symbole de son peuple-roseau, « ont sécrété pour leurs crosses des sucs dorés enroulés comme un sexe ». À l'image du sucre d'or, fabriqué par le sang de l'oppression mêlé au sperme des révoltes. Réalité filtrée pour les seuls yeux qui savent voir :

Et maintenant lucidité totale. Mon regard, par-delà ces formes et ces couleurs parfaites, surprend, sur le très beau visage antillais, ses tourments intérieurs.

Car la trame des désirs inassouvis a pris au piège les Antilles et l'Amérique.

Cependant les balisiers d'Absalon saignent sur les gouffres, et la beauté du paysage tropical monte à la tête des poètes qui passent… Ici les poètes sentent chavirer leur tête, et humant les odeurs fraîches des ravines, ils s'emparent de la gerbe des îles, ils écoutent le bruit de l'eau autour d'elles, ils voient s'aviver les flammes tropicales non plus aux balisiers, aux gerberas, aux hibiscus, aux bougainvilliers, aux flamboyants, mais aux faims, aux peurs, aux haines, à la férocité qui brûlent dans les creux des mornes. C'est ainsi que l'incendie de la Caraïbe souffle ses vapeurs silencieuses, aveuglantes pour les seuls yeux qui savent voir, et soudain se ternissent les bleus des mornes haïtiens, des baies martiniquaises, soudain pâlissent les rouges les plus éclatants, et le soleil n'est plus un cristal qui joue, et si

les places ont choisi les dentelles des parkinsonias comme
éventails de luxe contre l'ardeur du ciel, si les fleurs ont su
trouver juste les couleurs qui donnent le coup de foudre, si
les fougères arborescentes ont sécrété pour leurs crosses
des sucs dorés, enroulés comme un sexe, si mes Antilles
sont si belles, c'est qu'alors le grand jeu de cache-cache a
réussi, c'est qu'il fait certes trop beau, ce jour-là, pour y
voir.

III
L'île aux trésors :
quatre éléments pour horizon

Chaque jour, j'emploie le dialecte des cyclones fous. Je dis la folie des mots contraires.
Chaque soir, j'utilise le patois des pluies furieuses. Je dis la furie des eaux en débordement.
Chaque nuit, je parle aux îles caraïbes le langage des tempêtes hystériques. Je dis l'hystérie de la mer en rut.

Franketienne (Mûr à crever)

La nature dans la Caraïbe n'est pas un décor, c'est un personnage central de son histoire.

Une vieille croyance antillaise rapporte que certains esclaves emportèrent d'Afrique en secret des semences de plantes cachées dans leurs cheveux pour ensemencer dès l'arrivée la terre inconnue d'espèces propices à leur santé et à leur salut. Et l'on sait que les immigrants de l'Inde dans la Caraïbe après les abolitions trouvèrent, pour leur usage, des plantes qu'ils n'avaient pas pu emporter dans leurs bagages, transportées par les courants aériens à travers les siècles et depuis longtemps enracinées.

Dès l'origine, la nature, dans les îles, a bien choisi son camp. Dans l'espace étroit de l'île, elle a pu fournir immédiatement de quoi résister et survivre à ceux qui fuyaient l'oppression. On n'était ni dans le désert, ni dans la steppe, ni en pleine mer, ni dans la forêt lointaine. Avec la mer toujours à l'horizon des fuites, l'espoir de repartir était vite circonscrit. On était repris tout de suite, presque aucun lieu n'échappant à la portée des chiens, ou bien il fallait se fondre dans le paysage, l'accueillir et y être accueilli, se l'approprier et y cultiver toutes les connivences permettant la survie du corps et la résistance de l'espoir. Et là, tout ce qui avait été perdu, volé, violé, oublié, renié, a pu se réincarner secrètement dans une *poétique de relation,* comme la définit Glissant, entre l'homme esclave et l'île complice, une fois déçu tout espoir de retour au continent perdu, en postulant son enracinement libre dans ce nouveau monde, qui n'avait d'infernal que le traitement que des humains faisaient subir à d'autres humains.

Bien des discours européens s'étaient appliqués à séparer l'homme de la nature : « L'objet de la réunion des hommes en société a été de lutter contre la nature », « Nous pouvons nous rendre maîtres et possesseurs de la nature », pouvait-on entendre de Descartes à Diderot. En même temps, l'île lointaine a été longtemps pour l'Europe le lieu du spleen causé par l'idéal perdu ou rêvé, dès les escales insulaires du *Quart Livre* de Rabelais et l'île d'Utopia de Thomas Moore jusqu'aux nombreux voyages poétiques à Cythère, en passant par les scènes de théâtre du XVIIIᵉ siècle, où le décor de l'île nue permettait le spectacle des dénonciations à distance autant que des utopies morales et des recommencements d'après naufrages, comme dans l'emblématique *Île des esclaves* de Marivaux, à mille lieues marines de celle de Robinson et de celle de Virginie.

L'île aux trésors exotiques fournit sans apparent effort humain tout ce qui est nécessaire pour le bonheur et pour la vie. La nourriture tombe des arbres et du ciel, et les poissons s'offrent aux jeunes filles rêvant au bord de l'eau. L'île est comme une goutte de paradis qui serait tombée sur l'eau pour accueillir les rêves préservés des malheurs des continents. Aux Antilles, la terre semble un cadeau du ciel, puissamment fertile et débordante d'offrandes. Il suffit d'y jeter les graines et d'attendre la récolte en dansant : « Y a qu'à se baisser, mais c'est ça qu'est difficile ! » regrettait Montand interprétant « Planté café » ! La violence de l'exploitation de la nature et de l'homme a été cachée par ces mythes tropicaux de pays de cocagne, de jouissance créole insouciante, de rires et de danses, qui des origines jusqu'à nos jours ont coloré d'un vernis exotique l'histoire de ces régions.

Les goulags, les camps et les bagnes sont des systèmes qui poussent à l'extrême l'exténuation physique et morale de l'homme à qui il ne reste aucune force pour la résistance, ni aucun espoir de fuite dans une nature bien choisie pour son inhospitalité, au Sahara, en Amazonie, en Sibérie, ou au bagne de Guyane. La déchéance programmée et la mort possible n'étaient pas une vraie perte, à l'inverse de la plantation esclavagiste où toute mutilation était une atteinte directe au profit calculé, toute blessure ou maladie un recul des bénéfices d'exploitation. Le système de la plantation devait donc laisser une possibilité de renouvellement de la puissance de travail. Dans cette faille du système se situe la quête chez l'esclave de l'alliance avec les éléments de la nature ici très hospitalière. La fertilité se retourne contre le maître en offrant à l'évadé des moyens de survie, une réserve de nourriture pour le marronnage, des oasis de refuge à la portée de l'homme. À deux pas des habitations, il y a les arbres, la nourriture, l'eau, la forêt, une nature à échelle humaine qui peut nourrir la liberté. Les petits groupes de Nègres marrons ont pu survivre, même s'ils n'ont pas eu dans les Petites Antilles l'espace nécessaire à la pérennisation de communautés marronnes comme dans les Grandes Antilles, en Jamaïque, à Cuba ou à Saint-Domingue et surtout dans les Guyanes.

L'île aux trésors devient l'île mirage, comme une oasis qui se dérobe. Dans les grands rêves d'occupation, de conquête, ce sont les steppes et les plaines que l'on veut conquérir, «c'est ici qu'une erreur guida leurs caravelles», écrit justement le poète guadeloupéen Guy Tirolien. C'est le continent américain qui est à l'échelle de l'Inde recherchée, et les îles sont comme une distraction géographique. Les continents sont les seuls vrais buts de tous les conquérants. Au point que notre région est sur les cartes du monde la seule dont la dénomination collective soit jusqu'à nos jours restée imprécise : Caraïbe, Antilles, Amérique centrale, Amérique créole, Caribe et Antillas, *West Indies*…, avec des frontières mouvantes qui peuvent s'étendre au continent, aller culturellement de La Nouvelle-Orléans jusqu'à Bahia, et qui font aujourd'hui de Montréal ou de Miami des «capitales caribéennes». La dénomination anglaise même de *West Indies,* les «Indes occidentales», montre bien l'anomalie de leur positionnement, obstacle ou dérivatif à la vraie quête de continents sérieux, à la mesure des espérances de vastes profits. Aussi, paradoxalement, les îles caraïbes ont eu un statut ambigu d'îles désertes trop étroites pour les enracinements, et d'îles aux trésors réceptacles des plus extrêmes cupidités. Îles de passage, elles ont pu se transformer en îles refuges d'abord pour ceux qui n'avaient aucun espoir de retour sur leur continent, c'est-à-dire les Africains déportés, en un espace d'accueil pour leur exil, leur résistance et leur renaissance. Ceux qui n'attendaient rien, au fond de la cale, ont pu s'y enraciner et y trouver les forces de la re-création. Là est la différence entre le voyage africain et le voyage européen… Le fait que ce territoire ne soit pas figé, fixé, déterminé, explique paradoxalement l'enracinement de tout être humain qui débarque après le naufrage sur l'île déserte et inconnue de lui. La première Constitution haïtienne a déclaré en 1804 ce qu'aucun autre pays du monde n'a fait depuis : disposer que tout homme qui arrive libre sur la terre d'Haïti peut devenir haïtien, car ce premier État libre était le seul endroit d'Amérique où l'esclavage était interdit par la Constitution. Tous les Robinsons africains de la Caraïbe sont devenus des Vendredis, tandis que le Robinson de Daniel de Foë ne préparait que son retour, qu'il effectuera plus riche de tout ce qu'il aura pris et appris. Le dernier arrivé de force décide qu'il est chez lui. Par-delà la nostalgie de la terre originelle, on transporte les ancêtres avec soi, ainsi que l'ont fait des religions implantées secrètement par les esclaves. Comme le vaudou des Yoruba, ou certaines croyances Kongo, qui ont généré des syncrétismes pour mieux s'enraciner, déménageant le sacré des masques et des statues d'Afrique dans la statuaire chrétienne des églises à leur portée, les rituels sacrés marronnés dans les Grands-Fonds, et les tambours d'affliction et de célébration battant leur rythme sur des barils recyclés, pour bricoler les pratiques de leurs spiritualités préservées.

L'économie de plantation génère un rapport spécifique entre l'homme et la terre. L'esclave qui fait pousser la canne, fructifier la fertilité, devient l'enfant naturel de la terre, qu'il fait sienne par l'acte de la récolte, dépossédant le maître qui détient pourtant tous les titres de propriété. Sa fonction le rend serviteur de la terre autant qu'esclave du maître, ce qui permettra la genèse d'une paysannerie insulaire une fois l'esclavage disparu, même au profit d'un nouvel ordre colonial, toujours fondé sur l'agriculture et la surexploitation des travailleurs, mais qui fera de l'ouvrier agricole, en l'absence de classe ouvrière urbaine, le porteur essentiel de l'ancrage définitif dans l'île, le signe de l'enracinement légitime, et le colporteur des révoltes et des combats politiques pour l'égalité à suivre après la victoire des ancêtres esclaves pour la liberté.

Au contraire, casser des cailloux dans le désert, tamiser les rivières, extraire l'or et les minerais, ce n'est pas faire vivre la terre, c'est violer ses tréfonds, attenter à sa géologie, profaner sa sépulture pour s'emparer des richesses enfouies qui ne repousseront jamais plus. Les mines d'or ne nourrissent pas les exploités qui les exploitent, l'or et l'argent ne fleurissent pas à l'air, et donc l'ancrage du mineur asservi dans le sous-sol ne saurait ressembler à l'enracinement du paysan. On peut noter de plus que le sous-sol de la terre et le haut du ciel ne sont pas des espaces d'équilibre de l'ordre du vivant sur terre : ils sont proprement irrespirables pour les hommes, les plantes et les animaux ; ils ne sont donc pas les alliés naturels des humains en lutte là où l'irrespirable est la règle et où l'exploitation est inhumaine. Souvenons-nous des derniers vers de la fable de La Fontaine : c'est le chêne qui est déraciné pour avoir dépassé trop haut et trop profond les bornes de sa jouissance sans que le sol de la terre ne puisse ni ne veuille soutenir plus longtemps «celui de qui la tête au ciel était voisine/Et dont les pieds touchaient à l'empire des morts».

Avec le système de la plantation, on n'est pas non plus dans l'ordre économique premier de la cueillette, de la pêche et de la chasse, qui supposent, à l'inverse de l'économie d'extraction, un équilibre profond entre l'homme et son environnement, une protection des arbres et des animaux nourriciers qui s'oppose à toute surexploitation. Ces trois modes économiques ne seront pas au fondement des mondes créoles en gestation sous la férule coloniale, pour l'avènement d'une civilisation agraire libérée, sauf dans le temps et l'espace réduit des marronnages, qui avaient aussi cette dimension de contestation du système économique au profit de modes de subsistance en équilibre avec l'environnement, les Nègres marrons devant apprendre à cueillir, chasser et pêcher pour survivre libres. «Marxiste» avant l'heure, le paysan créole revendique la terre pour celui qui la travaille. «Anthropologue» de son propre terrain, il reconnaît sa bonne place dans le schéma universel des trois ordres mis en lumière par Dumézil : ni le soldat détenteur de la force ni le seigneur ou le prêtre détenteurs de la loi, mais le paysan-producteur maître de la genèse des fertilités. On comprend dès lors le puissant travail d'ancrage du paysan d'Afrique, déporté dans cette terre avec qui il a fait alliance au nom de la vie, contraint à la condition paysanne, mais y puisant la puissance retrouvée des civilisations agraires de ses origines, et devenant fils légitime de cette terre-mère. Il a enraciné les sociétés libres à naître non dans les frontières d'un territoire reconquis, mais d'abord dans la culture de son terroir et le terroir de ses cultures, pour la genèse d'hommes-plantés qui vont fournir ensuite l'armée qui partira à la conquête des forts et des ports du colonisateur, et plus tard les fantassins du combat politique des libres de couleur dans la ville coloniale moderne contestatrice du système féodal de l'habitation. L'ancrage de la paysannerie a fourni à la fois le moyen et la fin de l'enracinement des résistances : l'appropriation de l'île par les naufragés opprimés, à l'image exacte d'une mutinerie victorieuse de la cale contre les commandeurs du bateau négrier, comme l'écrit Césaire dans le *Cahier d'un retour au pays natal* : « plus inatendument debout à la barre, debout à la boussole ».

L'Africain, comme l'Européen, était aussi à l'origine un continental. Débarquer sur une île, c'était au mieux changer de bateau, passer de la cale au travail sur le pont, faire escale sans vœu d'enracinement, et donc ressentir fortement l'absence du continent perdu. J'ai eu l'occasion de voir à l'œuvre cette sensation d'une assise manquante, au cours d'une tournée aux Antilles-Guyane d'écrivains et artistes congolais en 1986, avec notamment Sony Labou Tansi et Tchicaya U'tamsi. Au début, eux qui étaient fils d'Afrique centrale, avec l'immense fleuve Congo et de grands espaces de savanes et de forêts, n'avaient en rien l'impression d'être à l'étroit, comme le craignaient leurs hôtes antillais. En raison de sa variété géographique, la minuscule Guadeloupe leur paraissait très grande, parce qu'elle représentait la multiplicité des paysages qu'ils connaissaient chez eux, mais sur des espaces immenses et uniformes. Un peu de fleuve, un peu de savane, un peu de volcan, un peu de forêt : ici, on changeait radicalement de monde en quelques kilomètres.

La nature est en effet extrêmement diversifiée dans une petite île comme la Guadeloupe, en raison des grandes et rapides variations d'altitudes et de sols. En dix kilomètres, on passe du niveau de la mer au sommet culminant de la Soufrière à près de mille cinq cents mètres. La moitié de l'île, la Grande-Terre, est plate, calcaire, sèche et presque sans eau. La Basse-Terre volcanique abrite la forêt tropicale humide, riche en grands arbres et en entrelacs touffus de lianes et d'épiphytes. Juste entre les deux s'étale la mangrove, réserve de vie d'une faune marine, terre gagnée sur un marécage de palétuviers dont les racines-échasses fixent le sable et les fonds pour la lutte de l'île contre les assauts de la mer. L'extrême variété des espèces, des marécages jusqu'au volcan, contribue à cette impression d'une condensation de vitalité et d'un foisonnement qui éloigne dans un si petit espace toute idée de confinement ou d'emprisonnement. La Guadeloupe, plus qu'aucune autre île des Antilles, présente ce paradoxe d'être composée en ses deux moitiés, les deux ailes du papillon, de deux terres d'origine différente représentant les deux modes de formation reconnus par les géographes : *l'île continentale,* la vieille Grande-Terre, plate, aride et calcaire, aux plages de sable blanc, résidu de la dérive des continents ; et *l'île océanique,* la jeune Basse-Terre, volcanique, haute, humide et boisée, aux plages de sable noir, née plus récemment des éruptions sous-marines qui ont érigé le chapelet des volcans de la Caraïbe. Avec la richesse de deux eaux marines différentes : l'océan Atlantique battant la Côte-au-Vent, et la mer Caraïbe baignant la Côte-sous-le-Vent. D'un côté, la terre battue par l'air et l'eau qui s'acharnent à la rabaisser au ras de son sol, et de l'autre, l'élan vertical de la terre bravant toute érosion par la puissance d'érection du feu venu de sous la mer jusqu'au grand air.

Cependant, dès que nos amis congolais furent arrivés en Guyane après le séjour en Martinique et en Guadeloupe, ils eurent une réaction étrangement commune, au bout de deux ou trois heures, ils dirent avec des expressions de joie rassurée, à la surprise des compagnons antillais : « Ici, nous savons que nous sommes sur un continent, nous nous sentons sur une terre ferme et solide ! » Par contraste, l'île qu'ils venaient de quitter leur semblait maintenant comme une barque, qui ne correspondait pas à leur origine continentale, alors que l'Amazonie, c'était du « sérieux » continental, comme j'imagine pour un Européen, un Chinois ou un Africain. Image originelle pour tous les immigrés d'Europe ou d'Afrique qui a longtemps brouillé la possibilité de penser l'enracinement à partir de ce qu'on a souvent caractérisé comme le « voyage inachevé ». Peut-être même aussi d'ailleurs pour les premiers occupants amérindiens, pour lesquels la Caraïbe était aussi un lieu de passage, au fil des invasions et des migrations.

Il importe en ce sens de bien observer que l'une des caractéristiques majeures de la Caraïbe, c'est qu'elle constitue un chapelet d'îles, chacune visible de ses voisines, avec la possibilité aisée des sauts d'île en île à portée de canots. Dimension archipélique absolument fondamentale pour comprendre les paradoxes de ces régions, où l'addition des solitudes insulaires fait obstacle aux enfermements. Fondamentalement, la conscience caribéenne est celle d'une insularité ouverte. Comme si, dès l'origine, la Caraïbe avait fait sienne cette formule de Michel Foucault : « Ce ne sont pas les positions qui désormais déterminent les identités, ce sont les trajectoires. »

La richesse de l'île, c'est la cause de son enfer. Cette terre fertile, tropicale, est exploitée au même titre que l'esclave, sans jachère ni repos, sans postulation d'épuisement. La richesse de la terre peut être un élément aggravant pour l'exploitation de l'homme. L'extrême de la fécondité aboutissant à l'extrême de l'exploitation.

Le but du maître était bel et bien de faire en sorte que l'esclave considère qu'il est perdu pour toujours dans cette prison à vie. Un lieu duquel il ne pourrait pas s'échapper, un lieu de malheurs, où rien de bon ne saurait être attendu, ni salaire ni liberté. Le climat accable et renforce la servitude. C'est lui qui avait empêché un plus grand développement de l'exploitation forcenée des émigrants européens, décimés par la dureté du travail dans ce climat trop peu tempéré. On a donc cherché des gens qui pouvaient *s'acclimater* et résister aux conditions de travail sous le feu du soleil. Et l'étroitesse de l'île, l'étroitesse d'une prison, sans arrière-pays, n'offre aucun moyen de s'enfuir si ce n'est par la noyade. À la Guadeloupe, les passes aux deux extrémités de la Grande-Terre battues par l'Atlantique ont été dénommées dès l'origine *les Portes d'enfer* : à portée de vue apparaît dans sa liberté proche et lointaine une autre petite île de l'archipel guadeloupéen justement baptisée *Désirade* par Christophe Colomb.

Les esclaves déportés mains vides et corps nus ont subi une tentative de déshumanisation systématiquement organisée pour conduire à l'amnésie, au déni, et à l'interdit des croyances, des rites et des pratiques sociales et culturelles. Il leur a donc fallu repartir presque de zéro comme des naufragés, et, avant l'invention de nouvelles expressions collectives, réfugier l'expression de toute humanité secrètement sauvegardée dans une connivence avec les indices du social et du sacré qu'ils pouvaient déceler à travers le dialogue direct avec les éléments premiers, comme par une nécessité provisoire de panthéisme, réinventant les forêts sacrées et les lieux d'initiation, sur les traces des mystérieuses roches gravées laissées en témoignage à la Guadeloupe par les Amérindiens entre mer et volcan. De sa topographie visible à sa géologie profonde, l'île a transmis tous les signes d'expression de leurs souffrances ; rassemblant sur son petit espace les quatre éléments qui peuvent crucifier le monde : air, feu, terre et eau, respectivement traduits en cyclones, éruptions, séismes et raz-de-marée. Tandis que, à l'inverse, le même décor offrait à ces esclaves naufragés ses floraisons fertiles, sa luxuriance et ses couleurs solaires, en procurant à foison des racines aux espérances, des nourritures aux marronnages et des refuges aux résistances.

Ainsi, la géographie et plus profondément même la géologie ont fait alliance avec l'esclave et lui ont permis de lutter, de trouver des armes, de rêver, d'imaginer la possibilité de liberté, d'égalité, et d'enracinement *ici et maintenant*. Même si, bien sûr, le rêve du retour en Afrique garde une place depuis toujours dans l'histoire et dans l'imaginaire de la Caraïbe. Comme l'attestent les « retours » symboliques par le meurtre des nouveau-nés, les noyades volontaires à l'exemple des Amérindiens. Puis, après les abolitions, les « colonisations » négro-américaines du Liberia et de la Sierra Leone, la fortune des programmes de retour de Marcus Garvey avant sa banqueroute, les mouvements rastafaristes, et plus tard, au XXe siècle, avec les mouvements américains de visite aux *racines* et la vogue du reggae, revitalisant le mythe de l'Éthiopie originelle face aux « Babylones » modernes.

L'enfer reste enfer à condition que les diables en restent maîtres, que les démons ne brûlent pas eux-mêmes dans leur feu. Or, il arrive que la géographie surpasse les excès des démons représentés par le maître européen, et donc que l'opprimé se rende compte que la puissance humaine est limitée par celle de la nature, dont la preuve symbolique reste la brutale destruction en quelques secondes en 1902 de la ville de Saint-Pierre par l'éruption de la montagne Pelée.

Il en est de même pour les séismes qui semblent s'acharner sur les villes. À l'exemple de Pointe-à-Pitre, édifiée juste au point d'attache des deux parties de l'île et détruite à plusieurs reprises par des tremblements de terre, notamment celui de 1897 qui ne laissa debout que le clocher de l'église avec sa grande horloge arrêtée comme pour indiquer l'heure précise du séisme.

Le troisième élément, ce sont les raz-de-marée qui régulièrement viennent détruire les digues, sur toutes les côtes de la mer Caraïbe, des Antilles à la Louisiane. *Chita,* le beau roman de Lafcadio Hearn, raconte la destruction brutale un soir de bal du Grand Hôtel, symbole de richesse, de puissance et d'insouciance aux malheurs, par une lame de plusieurs mètres de haut qui emporta dans son ressac toute la bourgeoisie louisianaise qui y festoyait.

Le quatrième élément : le cyclone, surgit annuellement au temps de l'hivernage, entre juillet et octobre, manifester la puissance des éléments contre la prétention de l'homme à tout dominer. Les ouragans naissent sur les côtes africaines, traversent l'Atlantique et arrivent, selon une ancienne croyance amérindienne, comme une vengeance ou un renfort pour détruire et balayer *tout ce qui n'aurait pas dû être édifié.* Parfois même, il arrivait qu'ils prennent parti entre les colonisateurs, à l'exemple d'une armada anglaise détruite aux Saintes au XVIIIe siècle à la veille d'un combat naval décisif contre les Français. Les esclaves déportés pouvaient les considérer comme une réponse à leurs appels venue des côtes africaines au secours de leurs révoltes. Dans le roman d'Asturias, *L'Ouragan,* le cyclone apparaît comme la seule force qui puisse détruire en une nuit les richesses accumulées par une multinationale américaine exploitant les paysans du Guatemala. C'est comme s'il venait tout écraser, l'espérance comme l'oppression, l'oppresseur et l'opprimé réunis sans distinction. Les ouvriers agricoles meurent eux aussi dans la tourmente, à défaut d'être tués à petit feu par l'épuisement du travail ou les fusils des gardiens. Sans doute est-ce plus favorable dans leur lutte d'avoir un tel allié face à la puissance de la multinationale, avec cette vision de la rébellion nourrie par l'énergie du désespoir. Le rêve de la destruction totale du mal par le cataclysme, un déluge qui ne punirait que les maîtres, une éruption qui choisirait où poser ses bombes, comme la montagne Pelée qui aurait pour ainsi dire *choisi* de punir l'arrogance de Saint-Pierre, édifiée à ses pieds comme une Sodome tropicale.

Le père Labat, grand historien de l'installation des Européens aux Antilles, avait noté naïvement dans ses chroniques : « Il semble qu'il y ait beaucoup plus de cyclones depuis notre arrivée ! » La géographie est considérée par l'Europe comme une ennemie parce qu'elle en fait trop. Pointe-à-Pitre et Saint-Pierre étaient régulièrement détruits par les éléments, plus que par les invasions et les rébellions. Depuis l'origine, les révoltes de la nature sont présentes dans l'histoire de l'île, qui peut dire « non » aux habitations, aux cultures, aux bateaux, aux villes et aux ports.

C'est en ce sens que les modalités de révolte des quatre éléments ont servi de *modèle élémentaire* pour le combat des opprimés. La géographie a permis d'en revenir, pour cet homme nu, à la puissance de l'élémentaire, c'est-à-dire à la confrontation directe de l'homme avec les éléments comme dans la tragédie antique où les choses se passent directement entre les hommes et les cieux. L'intervention du feu du ciel est logique, permanente et même sollicitée par les hommes pour l'arbitrage de leurs conflits. On retrouve aussi bien les grandes matrices occidentales de l'Antiquité que celles des religions et des croyances africaines.

Ainsi, la Caraïbe a fourni, dans cette permanence des éléments avec leur double aspect, salutaire et destructeur, les significations prêtes à accueillir toutes les figures de résistance possibles. Dans le rapport de forces, la puissante fertilité de ces mondes était utilisée par l'Europe pour son profit, mais la surpuissance des cataclysmes était là pour démontrer la fragilité de cet homme européen et pour servir de modèle à des formes de résistance pouvant aller de l'autodestruction totale à la résistance positive vitale, au nom de la protection du vivant et de l'espérance. Même quand la nature détruisait tout, c'était encore positif pour l'esclave. Le problème était de réguler cette surpuissance, puisque la résistance à l'esclavage était une lutte contre la surpuissance. C'était une lutte contre l'inégalité, contre l'oppression surhumaine de l'Europe. Un phénomène comme celui du sacrifice de Delgrès et de ses compagnons se faisant sauter à la Soufrière le 28 mai 1802 lors du dernier assaut contre les révoltés par les soldats de Bonaparte venus rétablir l'esclavage aboli en 1794 par la Convention, véritable *éruption historique,* n'est pas à considérer comme l'éruption de la montagne Pelée. Ce n'est pas un geste de désespoir ou de vengeance, c'est un geste d'inscription d'une espérance dans la terre et dans la mémoire du peuple survivant. Il ne s'agissait pas d'une autodestruction volontaire et ritualisée comme le suicide collectif pratiqué par les Amérindiens, qui se jetaient, sous la conduite du grand prêtre, des falaises de prêcheurs au fond de leur tombeau de la mer Caraïbe, pour échapper à l'oppression. Il y avait, dans certaines de leurs croyances, une certitude de la vie sous-marine. Les tombeaux des ancêtres étant là, on allait les rejoindre pour une autre vie, hors de cette vie.

Dans le cas de l'épopée de 1802, les trois cents compagnons ont accompli ce sacrifice pour installer *à toujours* l'irréductibilité de la résistance dans la tête de ceux qui allaient redevenir esclaves jusqu'en 1848, certains qu'une autre éruption victorieuse aurait bien lieu et abolirait *pour toujours* leur esclavage rétabli. Le suicide de Delgrès et de ses compagnons n'est en rien un suicide collectif sur le modèle amérindien, mais une bataille ultime, la victoire au prix de la défaite, attirant les oppresseurs au plus haut du volcan, à l'habitation d'Anglemont, à Saint-Claude, non pas pour un attentat suicide qui viserait l'anonyme, mais pour un geste politique calculé, après avoir prévenu par affichage les populations blanches et noires de la ville qu'elles ne courraient aucun danger d'être prises en otages ou pour cibles ; après avoir fait partir, avant la déflagration, les femmes enceintes et les enfants porteurs de l'avenir ; après surtout avoir pris soin d'afficher une proclamation écrite de liberté et de résistance adressée *à l'univers tout entier*. Suicide calculé pour n'emporter que les soldats volontaires de la liberté conquise en 1794 et les soldats de l'esclavage piégés en leur dernier assaut. Ce n'était pas une révolte, c'était l'accomplissement radical et ultime des idéaux de la Révolution.

L'homme révolté ne se contente donc pas d'une imitation irrationnelle des colères de la nature, même s'il peut y trouver comme ici les modalités de son expression. Trop souvent, on a considéré les révoltes des esclaves puis des colonisés comme des actes désespérés sans perspectives ni stratégies, en déniant très longtemps toute conscience politique à leur résistance. Or l'épopée de Delgrès est bien une histoire politique de résistance, de manœuvres et de stratégies rationnellement calculées au vu des forces de l'ennemi. De la même manière que l'action de Toussaint Louverture en Haïti à la même date est le modèle le plus clair d'une action politique avec une succession d'alliances tactiques victorieuses avec ses pires ennemis, tous praticiens de l'esclavage, en jouant de leurs oppositions, entre l'abolition de 1794 et sa déportation en 1802, en s'alliant tantôt à l'Anglais, tantôt au Français, tantôt à l'Espagnol, tantôt à l'Américain des États-Unis, alliances contre nature assumées afin d'assurer la libération d'Haïti, la fin de l'esclavage justifiant tous ces moyens.

Ainsi, les Africains, choisis justement pour leur capacité d'intégration dans ce monde tropical censé leur être *familier,* ont été les moteurs de la genèse des cultures et des sociétés, dans ces pays où tout le monde était immigré après le génocide américain. C'est le dernier immigré, venu contraint et forcé, qui est devenu le légitime propriétaire des lieux, non pas au sens où il élève des frontières sur un territoire qui est le sien, mais dans le sens où il en est le principal occupant. Beaucoup plus que l'occupant européen, l'esclave déporté est devenu l'enfant du pays. Bien entendu, en raison de la fameuse dialectique maître/esclave, l'Européen lui aussi est à son corps défendant devenu un Caribéen. Les cultures européennes et africaines d'origine ont été métissées, antillanisées, caribéanisées, recréées, déformées, reformées pour inventer des cultures et des sociétés inédites, des identités originales, par le travail et la volonté de celui qui était en posture de victime mais non de vaincu.

Cette géopoétique caribéenne ne saurait en rien être référée à la « théorie des climats » élaborée à l'époque de Montesquieu et du « bon sauvage », et dont on retrouve bien des traces encore au XXe siècle, notamment dans ces thèses de géographie humaine datant des années 1950 selon lesquelles le climat tropical empêcherait le développement des facultés d'action et de pensée des colonisés, justification de la colonisation comme fardeau « naturel » de l'homme tempéré.

La théorie des climats suppose une présence ancienne et permanente de l'homme, or dans la Caraïbe, maîtres et esclaves, Européens et Africains, tous étaient immigrés, nouveaux venus dans cette nature et sous ce climat. L'Européen a tenté d'adapter la nature à son profit, l'Africain de s'adapter à cette nature, en la mettant à profit pour sa libération.

Les tableaux des quatre *Saisons* de Poussin montrent comment la vie humaine est rythmée par la nature. Chez Poussin, c'est d'une part la métaphore de l'échelle de la vie humaine rapportée à l'échelle de l'année. Le classicisme esthétique est justement quelque chose de propre aux saisons supposées des pays tempérés. On perçoit à vue d'homme les repères de la nature et les repères historiques.

La Caraïbe a bousculé les repères européens de la théorie des climats, l'ordonnancement rationnel des saisons. En raison des variations de rythme entre l'alternance du beau temps et des cataclysmes, et aussi en raison des différences d'occurrence de ceux-ci, entre par exemple la brusquerie du séisme toujours imprévisible et qui agit en quelques secondes, et la régularité annuelle des cyclones et raz-de-marée à la saison d'hivernage, entre la bombe explosive de la montagne Pelée et la lente et mesurable montée phréatique des Soufrières de la Guadeloupe et de Montserrat, dont les éruptions peuvent s'étaler sur de longs mois.

Si la nature est donc bien un personnage essentiel de l'histoire de la Caraïbe, il ne s'agit pourtant pas d'une personnification de son *apparence géographique,* qui serait par exemple tantôt celle d'une jeune femme en colère ou tantôt celle d'une vieille dame tranquille, comme les deux images traditionnelles personnifiant le volcan de la Soufrière. Ce que l'on constate dans cette prégnance des quatre éléments, le séisme, le cyclone, le raz-de-marée et l'éruption, c'est qu'elle manifeste une confrontation avec la *réalité géologique,* avec ce qu'il y a de plus élémentaire sur et sous la terre, de plus profond, de plus chtonien, de plus inapparent. Le séisme, comme l'éruption, est lié à la dérive des continents. La force et la fragilité de l'arc caraïbe viennent du fait qu'il se situe sur une plaque ralentissant la dérive de l'Amérique par rapport au bloc Europe-Afrique avec lequel elle était réunie il y a des millénaires. On voit bien comment nous sommes en face de paroxysmes qui nous relient aux forces les plus profondes de la planète Terre dans son mouvement : l'eau des abysses dans le raz-de-marée, le feu primordial avec le volcan, les vents venus des côtes d'Afrique avec les cyclones.

On pouvait imaginer, en Occident, que l'homme avait atteint une force égale à celle des forces de la nature. Au XIXᵉ siècle, on voit le romantisme demander à la nature un peu de sa force d'expression, quelques «orages désirés», et de Chateaubriand à Rimbaud, le chemin sera long pour dérader le bateau ivre. Mais dans la Caraïbe, ces forces élémentaires se retrouvent en plein milieu de la surpuissance humaine ; la ville, l'habitation, l'oppression, l'exploitation de la nature, dans un des lieux du monde qui a subi le plus longuement et le plus violemment l'effort inhumain de l'Europe pour exploiter la terre fertile et le travail du paysan esclavagisé. C'est en ce sens que les quatre cataclysmes peuvent avoir une fonction presque anthropologique pour celui qui arrive nu et qui se rend compte que seule leur force peut contrer toute surpuissante inhumanité.

À partir de là, deux modalités de la nature apparaissent : la nature dominée par l'homme oppresseur européen, la nature autour de l'habitation, la nature cultivée, exploitée ; et sous elle, sous cette nature tropicale, chaude et fertile, des forces obscures qui vont avoir la possibilité de détruire ce que l'homme d'Occident était venu instituer. D'où deux niveaux : une nature en apparence accueillante et esclave consentante, extrêmement fertile et productive, et derrière cela la capacité de révolte violente, imprévisible dans le temps et dans l'espace, qui vient tout balayer.

Il importe ici de remarquer que les quatre formes du cataclysme proviennent toutes d'ailleurs. Car une autre dialectique est à l'œuvre : un *ici,* l'île aux trésors, le paradis terrestre ; et à côté de cette île, ces éléments qui arrivent de très loin, de très haut, ou de lointaines profondeurs, et qui secouent et altèrent la terre maîtrisée. Cette sorte de dialectique entre l'ici et l'ailleurs n'est pas sans avoir été intégrée dans l'anthropologie et la genèse des peuples qui s'y sont édifiés. La dialectique de l'enfer de l'île paradisiaque et de la révolte contre cet enfer par des puissances qui viennent d'ailleurs, de loin, du fond de l'air, du lointain, du fond de la mer, pour aider la révolte des opprimés.

Cela explique le fait que l'insulaire de la Caraïbe n'est jamais enfermé dans l'île, parce qu'il a perpétuellement l'image d'un ailleurs, maléfique ou bénéfique, ou les deux à la fois. Historiquement, les insulaires sont tous des « immigrés » du continent amérindien, puis d'Europe et d'Afrique, et enfin d'Asie, presque tous « de passage » dans cet arc caraïbe. L'île n'est jamais un lieu d'enfermement, tous ses bouleversements, cataclysmiques ou historiques, proviennent d'ailleurs. Par exemple, la conscience collective caribéenne se nourrit de la circulation des éléments : tout grand séisme envoie ses ondes au-delà de l'île épicentre, toute éruption notable est visible de l'île voisine à l'œil nu. C'est cette conscience archipélique qui fait que chacun, réfugié dans son île, suit la trajectoire du cyclone durant tout son passage destructeur au hasard de son cheminement. Personne ne se sent quitte s'il a été épargné cette fois, et la compassion pour l'île voisine est d'autant plus sincèrement vécue que tous connaissent la juste répartition de ces ravages d'une île à l'autre, chacune à son tour. C'est ainsi qu'on devient caribéen même sans avoir pu visiter les autres îles, par voisinages sans pénétration chez l'autre, par cousinages sans parenté visible, qui font tout ressentir de *proche en proche,* les ravages comme les jouissances, *trajectoires identitaires* à l'image de ces musiques traversant les airs, elles aussi au bon vent de leurs rythmes, pour se retrouver toutes à danser dans la nuit confinée du petit bal du village.

Le raz-de-marée, le séisme, l'éruption volcanique et le cyclone enracinent paradoxalement les êtres sur l'île, comme le pêcheur s'accroche à sa barque sous la tempête, comme la laminaire résiste au reflux, comme le roseau se redresse sur place après l'aquilon. Ils ne se transportent pas vers un autre lieu de fuite, car ces cataclysmes sont sans lieu. Ils ne ramènent pas à un ailleurs qui serait le transport vers le paradis après le naufrage. Le cataclysme ancre bonheurs et malheurs, rêves et cauchemars, même venus d'ailleurs, dans l'ici. Il n'est pas de *lieu sûr* au monde, ni ici ni ailleurs.

Au fond, en ce qu'ils détruisent les forces de l'oppresseur, les cataclysmes rendent aussi apparent le fait que «l'objet de la réunion des hommes» n'est pas de lutter contre la nature par l'exercice d'une surpuissance humaine, ni de lutter contre les autres hommes en exerçant une surpuissance contre eux. L'île devient ainsi le lieu d'inscription de toute humanité contrainte à cohabiter quelles que soient les mauvaises causes de cette *réunion,* de ce métissage imposé d'un vivre ensemble avec tous les périls et les offrandes de la nature. C'est une philosophie que l'on retrouve dans toutes les pratiques culturelles qu'ont édifiées ces sociétés. Au milieu des déchaînements infernaux, la quête d'un équilibre est toujours présente. Il y a une délicatesse qui prend le contre-pied absolu de l'image de la surpuissance. Ce qui devient le signe de l'humanité, c'est la *prévenance* face aux capacités de destruction qui sont à l'œuvre, sans prétendre ignorer la destruction.

On pourrait faire ici une comparaison toujours fertile avec la *pensée de midi* de la Méditerranée, que l'on retrouve dans cette phrase d'Albert Camus depuis très longtemps gravée dans ma mémoire : « La misère m'empêcha de croire que tout est bon sous le soleil et dans l'histoire ; le soleil m'apprit que l'histoire n'est pas tout. » Pensée très méditerranéenne, venue d'un lieu du monde à la fois africain, européen et oriental, avec un puissant équilibre entre les forces de la nature par rapport au Nord tempéré et au désert qui le circonscrit au sud, et qui partage bien des cousinages avec la Caraïbe, notre Méditerranée américaine. La ressemblance, c'est que nous sommes aussi un lieu entre misère et soleil à leur paroxysme. Cependant, Camus oppose deux mondes selon lui radicalement distincts : la violence est dans l'histoire, et la nature vient la contrebalancer, elle est porteuse des espérances, des soifs de jouissance, d'épanouissement. Or, dans la Caraïbe, les cataclysmes sont aussi naturels. C'est qu'elle est aussi porteuse de misère et de malheurs. Il ne s'agit donc pas d'opposer une nature équilibrée aux déchaînements de l'homme dans les excès que la civilisation a impliqués, en en faisant un surhomme par rapport à l'équilibre que la nature représente. Le colonisateur et le cyclone sont tous deux des surhommes porteurs de violence. L'île d'accueil par son aspect paradisiaque a attiré l'oppresseur qui est venu l'exploiter. Ce n'était donc pas seulement le refuge du naufragé de l'histoire. Et la nature elle-même vient ajouter une violence incommensurable. L'équilibre ici, c'est que l'on trouve soleil et misère autant dans l'histoire que dans la nature.

La violence n'apparaît dans cette pensée de Camus que comme un produit de l'histoire humaine, même si, dans *L'Étranger,* le meurtre perpétré par Meursault s'opère sous un soleil réverbéré par le sable aveuglant sa lucidité, la sueur voilant ses yeux, décor du meurtre de l'Arabe, quatre coups de feu qui de toute façon viennent déranger scandaleusement le silence de la plage, lieu fortement symbolique de la rencontre harmonieuse et sereine du soleil, du sable et de l'écume. Cette scène n'est pas sans rappeler la pensée de Hobbes selon laquelle ce sont les hommes qui génèrent la violence entre eux, même si la nature sait se faire complice de leur aveuglement. Voltaire en son siècle présentait le tremblement de terre de Lisbonne comme un injustifiable scandale de la nature, une hécatombe d'humanité innocente. Une philosophie de la maîtrise de l'homme sur la nature ne peut considérer le tremblement de terre que comme un accident, géologiquement et moralement inexplicable, injustifiable, une erreur ou une faute de la nature. Et la seule façon de maîtriser cette violence est de la récupérer comme l'expression d'une volonté divine, d'un ordre théologique et non d'une *causalité naturelle,* un ordre du monde indépendant de l'histoire des hommes et de la colère des dieux. Par rapport au séisme de Lisbonne, qui fit trembler tant de certitudes du pouvoir des humains sur la nature, ou à notre hantise moderne des séismes prévisibles dans les grandes métropoles, de Los Angeles à Alger, de Tokyo à Mexico, le scandale, si l'on veut, c'est que dans la Caraïbe il n'y a pas de scandale parce que justement le caractère cyclique de ces cataclysmes fait pressentir au contraire les lois secrètes d'une logique du vivant, à côté des malheurs causés par les humains, comme devait le penser d'expérience le Nègre de Surinam.

Les temporalités de ces cataclysmes composent une typologie, du séisme brutal au cyclone annuel, c'est-à-dire de l'accidentel, du pur événementiel, au plus récurrent. C'est pour cela qu'il importe d'insister sur la présence des quatre cataclysmes concomitants dans la Caraïbe. Les endroits où existe uniquement le danger du séisme peuvent être des lieux de croyance en l'accident, de déni des probabilités si faibles de cette onde invisible et furtive que personne ne peut voir ni saisir. Aussi, même si l'on sait que Los Angeles pourra être détruite un jour, lorsque l'événement surviendra, ce sera comme par un accident parce qu'on ne peut pas savoir si c'est aujourd'hui ou si ce sera dans trente ou trois cents ans. Cela suffit à l'homme pour croire que ce n'est pas cyclique et donc que cela ne se produira pas.

La présence imposante du volcan en activité manifeste au contraire aux yeux les plus incrédules la possibilité de l'éruption volcanique. La Soufrière entre en activité tous les vingt ans environ comme en 1956 et 1976. Le volcan est le créateur de l'île, et le phare qui éclaire ses formes et son histoire. L'éruption est un possible mais en même temps elle est cachée dans la montagne, nous savons qu'elle est inscrite dans la très longue durée géologique, que c'est grâce à elle que la fertilité est venue, que l'île a surgi dans l'océan, dans une temporalité de millénaires sans comparaison avec le temps historique mesuré des humains, et qui vient comme le séisme rappeler à l'homme contemporain les traces de l'origine du monde.

Et puis nous avons le cyclone qui s'inscrit dans un rythme annuel bien connu, celui des saisons alternées du Carême et de l'hivernage, la saison sèche et la saison des pluies. Pendant l'hivernage, autour du mois d'août jusqu'à octobre, arrive la saison des cyclones. Chaque année, les services internationaux de météorologie présentent la liste des cyclones de l'année, nommés en ordre alphabétique, par un prénom alternativement masculin ou féminin, personnification parfaite d'un ennemi naturel qui sait utiliser les ruses et les stratégies d'une attaque de château fort : surgissement brusque, changement de cap, attaque frontale, recherche des brèches, pause totale à la mi-temps qui fait croire au profane que le cyclone est reparti, passage ensuite par-derrière pour reprendre de plus belle l'assaut final. À compter de juillet, toute la Caraïbe se prépare à l'arrivée inéluctable des cyclones, seuls leur trajet et leur nombre ne sont pas connus.

Nous avons ainsi une grande variation de cycles et d'avènements, avec les différences entre ce qui revient régulièrement ou rarement et ce qui surgit de la manière la plus brusque et imprévisible. Il peut même y avoir un jeu de conjonction entre les deux. On dut, dans l'île de Montserrat ces dernières années, évacuer la capitale en raison de l'éruption volcanique prolongée, mais en raison du passage d'un violent cyclone entre deux toussotements du volcan il fallut ramener, pour une nuit dans la ville, la population qui était réfugiée à l'extérieur depuis des mois. En 1976, quand il y eut l'éruption de la Soufrière et qu'on fit la grande évacuation au mois d'août – et qui dura jusqu'en décembre –, l'île ne vit passer aucun cyclone. Une raillerie locale raconte qu'au moment d'arriver le cyclone s'est ravisé et a changé de proie en croyant y être déjà passé au vu du spectacle des réfugiés.

En aucun cas, on ne peut jouer ici avec ou contre le temps. Ni croire que tout revient toujours ni croire que tout est fini. Le résultat est une vision du temps cyclique et spiralique qui intègre l'idée de surgissement inédit dans la temporalité cyclique. Rien ne tourne rond, mais rien ne tourne en rond, et la spirale de la vie réintroduit le *toujours pos-*

sible – malheurs et bonheurs – en brisant l'alliance entre le cyclique et la fatalité. Le *spiralisme,* c'est d'ailleurs justement un important mouvement littéraire haïtien, créé par deux écrivains contemporains : Franketienne et Jean-Claude Fignolé. Une théorie esthétique du nouveau roman haïtien, dans les années 1970-1980, qui ressemble beaucoup à ce que la nature, notamment à travers ces cataclysmes, nous dit du jeu avec le temps : « Dialecte des cyclones. Patois des pluies. Langage des tempêtes. Déroulement de la vie en spirale... », comme l'écrit Franketienne.

Il y a des cyclones et des séismes historiques, mais ils ne sont pas là pour signifier que cette histoire ressemble inéluctablement à la géographie, dans un rapport de *convenentia* comme on le croyait au Moyen Âge, mais au contraire pour faire éclater cette ressemblance et l'idée de continuité. De même qu'on l'avait vu pour le jeu des éléments et des cataclysmes, ils viennent d'ailleurs, ils recouvrent, ils sabotent le micro et le macro. La nature vit sa vie et n'est pas là pour fournir des métaphores et des symboles classifiés des folies et des tourments des humains.

Donc, ici, le paradis et l'enfer de la nature ne correspondent pas au paradis que représente l'île pour le colonisateur et l'enfer pour le colonisé. Il y a parfois concurrence entre les deux enfers. Aussi les quatre figures classiques de la représentation que Michel Foucault dans *Les Mots et les Choses* a mises en lumière dans l'épistémê européenne à l'orée des colonisations interfèrent-elles irrationnellement sans connivence calculée entre les forces de la nature et celles des humains. La convenance du lieu joue tantôt en faveur du maître, tantôt en faveur de l'esclave. L'*analogie,* qui veut tout ramener depuis le cosmos à la ressemblance avec la forme humaine, repose sur une logique de l'harmonie que les excès de l'homme et de la nature tropicale viennent brouiller. De même que l'*émulation,* l'addition des forces du maître et du cyclone aggrave la dimension de catastrophe d'une histoire où aucune loi, aucun code, aucun barrage, aucune digue n'a au début pu arrêter leur toute-puissance déchaînée, rendant inopérante ou invisible la *sympathie,* la compassion vue comme le partage des passions et des sentiments moraux à la base d'un possible contrat moral et social, permettant l'avènement d'une société pacifiée par la justice et le droit, après le déluge. D'où aussi la difficulté à nommer la Caraïbe, à la situer, à la circonscrire, en somme à la représenter, entre les figures opposées qu'elle peut paradoxalement toujours symboliser, du bateau négrier à l'arche de Noé.

Sur ce plan, on pourrait dire que la Caraïbe n'est pas un microcosme des quatre continents, mais au contraire le révélateur des présupposés de leurs croyances et de leurs idéologies, ce qui fait éclater le macrocosme européen, les vœux de similitude, de ressemblance, de convenance, d'analogie, parce qu'à chaque fois le rêve d'harmonie et d'équilibre au cœur de cette représentation vient se briser dans l'histoire de la Caraïbe.

À l'origine de nos identités, il y a donc toujours ici l'échappée non seulement à la géographie et au climat eux-mêmes, mais aussi aux mirages douteux de leur représentation. Et en même temps, un appui sur la nature sans vouloir l'exploiter ni être dominé par elle. C'est en cela que l'on échappe toujours à la soumission au cosmique et au terrien dans l'univers antillais. Les cataclysmes ne suffisent pas à donner l'idée d'un écrasement de l'homme, ni la certitude de sa renaissance après les déluges. Tous les doutes et tous les espoirs sont donc permis. Là où est manifeste la fatalité, le fatalisme n'a pas prise, et n'a pas pris.

On sait bien que la géographie a été faite, selon la formule d'Yves Lacoste, «pour faire la guerre», délimiter des espaces, tracer les frontières, ranger les cartes, désigner les propriétés. On connaît aussi la conception du grand géographe Vidal de La Blache, selon laquelle la région comme unité naturelle et humaine fait la synthèse entre la géographie physique et la géographie humaine qu'elle harmonise dans une personnalité régionale, qui lui a fait dire par exemple que l'Italie est faite pour la mentalité des Italiens. Cette conception semble peu cadrer avec la géographie insulaire de la Caraïbe, parce que les phénomènes cataclysmiques qui la traversent l'ouvrent sur un au-delà géographique. Comme aussi son histoire, à travers les immigrations venues des autres continents, qui fait que la Caraïbe est, si l'on peut dire, un véritable composé de géographies humaines confrontées en son sein. L'au-delà est inclus, l'idée de frontière insulaire est une illusion si on regarde la géographie archipélique de cette région. Essayer de circonscrire la personnalité régionale en la réduisant à l'influence du seul espace proprement physique de l'île ne suffit pas. Il doit être bien vrai que, partout dans le monde, toute personnalité régionale, si harmonieusement équilibrée soit-elle entre le physique et l'humain, est poreuse autant aux vents et aux apports qu'aux nuages et aux soleils qui tournent comme partout autour de sa terre. Mais dans le cas de l'île antillaise, on voit bien que cette dimension du territoire ne suffit pas à en définir la particularité. La dimension archipélique, qui relie l'Amérique du Nord à celle du Sud par une longue chaîne insulaire, donne à cet arc caraïbe une fonction de relais des continents. Ces îles sont un carrefour de l'ensemble des continents. L'espace de l'insularité est paradoxalement un espace de relation. Et l'insulaire ici n'est ni un isolé ni un esseulé, mais un être de relation.

La Caraïbe déjoue ainsi les représentations de l'espace, ses échelles et ses limitations. On pourrait dire qu'elle dépasse l'espace qui lui est assigné grâce à l'extension continentale qui la compose : de fait, elle est déjà dans la naissance du cyclone sur les côtes de Gorée, elle est déjà dans la dérive des continents, dans les plantes asiatiques qui ont traversé les airs pour s'y acclimater. Et selon la tectonique des plaques, c'est bien son arc caraïbe qui freine la lente séparation entre ses continents d'origine, qui tirent sur sa corde fragile et surtendue.

La Caraïbe oppose aux politiques de l'espace une poétique de l'espace. Un espace où les dynamiques entre rêves et réalités, entre espoirs et désespoirs, entre centre et périphérie, sont toujours à l'œuvre sans qu'il y ait désignation d'un territoire précis pour le rêve et la jouissance ou d'un autre pour le malheur et le désespoir.

Il existe un exemple assez amusant qui illustre le rapport entre l'étroitesse de l'insularité et l'immensité de l'Amérique. L'un des arguments politiques avancés par les États-Unis pour se détacher de l'Angleterre consista à dire qu'un continent aussi immense ne pouvait pas être gouverné par une île. Dans ce discours, qui se fonde sur le modèle de la convenance classique, la géographie sert à légitimer le projet d'émancipation politique : l'immense sous-continent américain ne saurait rester sous la dépendance de la petite île lointaine d'Angleterre. Mais, avec la Caraïbe, on est bien dans un hors cadre géographique qui n'entre pas dans les catégories ordinaires d'adéquation entre l'histoire et la géographie. Par exemple, à la suite du génocide de ses Amérindiens, la Caraïbe est une terre où l'ancrage ancien du premier occupant ne peut jouer pour quiconque le rôle d'argument légitime, comme c'est au contraire le cas pour les Amérindiens, du nord au sud de l'Amérique. Au point que les revendications d'appropriation ont parfois été retournées par le colonisateur. «Nègres en Afrique!» pouvait-on par exemple lire sur les murs de Pointe-à-Pitre et de Fort-de France pour contrer les «Blancs dehors!» au plus fort des revendications nationalistes des années 1970.

Dans l'ordre géographique, le territoire est souvent qualifié de trois manières : *territoire naturel, terre promise, espace vital.* Le *territoire naturel* est celui des montagnards à la montagne, ou celui des pêcheurs sur la côte. Il légitime une adéquation entre l'homme et son environnement. Le territoire comme *terre promise,* porteur d'un avenir meilleur, est par exemple celui qui fonde la conquête de l'Amérique et la ruée vers la terre et l'or. Enfin, l'*espace vital* est nécessaire à la conquête pour cause d'expansion démographique, dimension aussi présente dans la conquête de l'Amérique.

Sur ces points encore, la Caraïbe se distingue, elle ne correspond pas aux délimitations habituelles. Elle est un révélateur des fausses causalités géopolitiques parce que jamais l'espace ne correspond précisément à ce pour quoi on l'a conquis. Par exemple, elle est trop étroite et morcelée pour l'exercice d'un impérialisme et n'a jamais pu devenir la *mare nostrum* d'un seul empire. Elle apparaît plutôt comme le lieu, privilégié mais insaisissable, d'affrontements entre les impérialismes. Depuis toujours elle fut un objet de rivalité disputé par les colonisateurs européens, jusqu'aux années de la guerre froide qui culminèrent avec la crise des missiles de Cuba. Elle montre dès l'origine ses limites territoriales en termes d'exploitation, à la différence du continent américain dont nombre de zones sont longtemps restées inexplorées au nord comme au sud. Elle est source d'immenses richesses malgré la petitesse de son territoire : les plus importantes ressources pour l'Europe se trouvaient davantage dans la Caraïbe que dans le grand

Canada et ses arpents de glace. De même, Napoléon vendit l'immense Louisiane qui s'étendait alors bien plus loin au nord, parce que cette immensité se révélait plus difficile à gérer, alors même qu'elle présentait moins d'attrait économique que Saint-Domingue, principale île aux trésors de la Caraïbe. Ce territoire n'est pas non plus *naturel*, parce que, à cause des cataclysmes et de son étroite insularité, il ne correspond pas au schéma traditionnel de l'harmonie naturelle entre l'homme et le milieu : tropical ou tempéré, le colonisateur au frais et le colonisé au chaud.

L'observation des traditions culinaires est un moyen privilégié d'analyse des relations nature-culture des sociétés. Si les Antilles devaient être définies par un produit savoureux, on aurait bien du mal à choisir, étant donné la luxuriance qui se manifeste à l'évidence dans les arts culinaires, où se mêlent harmonieusement les apports amérindiens, africains, français et indiens. La cuisine créole ne manifeste en rien une quête identitaire. C'est une trouvaille identitaire finement bricolée par la figure de la cuisinière, maîtresse sûre de ses équilibres, sorcière dont la marmite fait mijoter à plaisir les quatre éléments. Il est d'ailleurs significatif que la plus ancienne *association* de la Guadeloupe soit celle du Cuistot Mutuel, la Société des cuisinières, célébrée chaque année au 15 août par la population tout entière qui leur voue admiration, respect et reconnaissance. Ces cuisinières, altières et généreuses, par leur pérennité flamboyante, leurs rituels culinaires, leurs pratiques de solidarité sociale et financière, leurs costumes rutilants, leur savoir gastronomique, leur science des métissages de goûts et de saveurs, leur connaissance des pouvoirs secrets des plantes, des fruits et des racines, symbolisent l'harmonie et la vitalité en définitive édifiées entre de nouveaux peuples et le nouveau monde où l'ordre et le désordre du vivant les ont fait naître par le grand jeu du hasard et de la nécessité.

Malgré l'embarras du choix, ce plat symbolique pourrait être le *bébélé* de Marie-Galante, l'*île marronne* de l'archipel guadeloupéen. Un plat unique modeste pour grandes tablées, ragoût riche et copieux tout de mélanges, de composition, un peu fourre-tout, qui cuit pendant trois heures comme une sorte de pot-au-feu foisonnant, composé d'abats, tripes, poitrine fumée, bananes vertes et fruits-à-pain, accompagnés de *dombrés* (boules nourrissantes de pâte de farine). Ce pourrait être aussi le *colombo,* un carry antillais acclimaté par les émigrés de l'Inde. Ou bien encore le court-bouillon ou le blaff de poisson, tradition venue des marins bretons. Ou le *roussi* de viande, équilibre délicat ente le grillé et le bouilli. Pour le réussir, il faut observer attentivement sa coloration, verser ensuite quelques cuillérées d'eau pour que d'un seul coup la chair caramélise, et ajouter enfin un peu plus d'eau pour qu'il commence à bouillir avec les légumes, ni trop grillé ni trop bouilli. Signe de la maîtrise équilibrée des éléments comme l'eau et le feu, entre le *mijoté* et le *saisi.*

Dans la Caraïbe, prétendue sans racines, la nourriture de base se compose de tubercules, appelés génériquement *racines* : madères, malangas, ignames jaunes et blanches, présentes dans le *toloman* des bébés et les gamelles des travailleurs de force. Ce sont de vraies racines, nourricières, bien réelles et non pas symboliques, cultivées avec un grand savoir-faire notamment par les paysans de la Côte-sous-le-Vent sur les lopins fertiles loin des plantations extensives, plantées et récoltées selon une science très précise des *doukous* et des lunaisons, et qui manifestent, à côté du système dominant des cultures d'exportation des bananes et de canne, l'existence d'un système d'agriculture vivrière aux savoirs bien ancrés. Né d'abord pour la subsistance des esclaves en marge de l'habitation, il s'est développé ensuite avec la naissance d'une paysannerie bien enracinée dans sa terre. Du fait de sa marginalité économique et de son absence des grands circuits d'échanges coloniaux, ce système agricole a longtemps été sous-estimé. Mais, en réalité, il constitue peut-être le substrat premier de la genèse autochtone des peuples caribéens. Ces racines qui poussent toutes seules ont offert au coupeur de canne la voie de l'intégration. L'agriculture vivrière a transformé l'ouvrier agricole dépendant de la seule loi de la grande plantation en un paysan autonome, rendu tel grâce à son lien avec le cycle de la nature. Déjà pendant l'esclavage, c'est là que s'est joué *souterrainement* l'ancrage futur de l'esclave libéré comme paysan.

Beaucoup de plats marient des produits de base complémentaires. On peut même dire que ce qui définit l'appartenance à la Caraïbe, c'est le riz et les haricots rouges mélangés, de la Louisiane jusqu'au Brésil, de La Nouvelle-Orléans jusqu'à Bahia, de Trinidad à Cuba et Porto Rico. C'est la civilisation du riz mélangé : le *ri é pwa,* riz et pois rouges des Antilles, la *feijoada* du Brésil, le riz-haricot de la Louisiane, le riz collé d'Haïti. Mariage de deux céréales complémentaires qui, comme presque partout au monde, forment la base nutritionnelle à laquelle s'ajoutent la viande ou le poisson selon les jours et les possibilités. Ainsi, les hommes ont transporté chacun leur savoir, importé leur mémoire, et bricolé une réponse aux grands équilibres nutritifs ancestraux propres à l'Asie, l'Europe, l'Afrique et l'Amérique. On sait bien à quel point le monde entier se nourrit de produits de base venus de très loin après de grands voyages intercontinentaux, parmi lesquels l'apport vital du manioc et de la pomme de terre des Amérindiens aux autres continents. Avec, dans l'assiette, la complémentarité de l'ici et de l'ailleurs, des racines comestibles qui ne donnent pas de fruits, avec l'abondance des fruits échappés aux déracinements.

Le souci d'équilibre de forces contraires se retrouve aussi dans la relation cru-cuit et chaud-froid pour l'ordonnancement des repas. Par exemple, l'assiette de crudités (tomates, concombres, avocats) s'accompagne de préparations chaudes extrêmement élaborées comme les trois chefs-d'œuvre en hors-d'œuvre – le boudin créole, les accras et le crabe farci –, qui constituent l'assiette antillaise, équilibre composite manifestant la présence harmonieuse des contraires, du bien-cru et du sur-cuit, mariage de bouilli, grillé, friture additionnés. Alliance du doux et du très pimenté, qui emporte la bouche, et appelle le velouté de l'avocat et la fraîcheur immédiate du concombre. Expérience des limites des saveurs et des sensations. De même, le *punch* créole est un apéritif que chaque convive dose selon son goût à partir du sucre, du citron et de la bouteille de rhum qui lui sont présentés à cet effet, le punch pouvant aller du sirupeux, apprécié par les grands-mères, au *ti-sec,* quand le zeste de citron ne sert que d'alibi à la brûlure du pur rhum sec.

La cuisine antillaise cherche à synthétiser, d'une part, l'alternance réglée des mets, la diachronie programmée de la gastronomie française (hors-d'œuvre, plat, fromage, dessert) et, d'autre part, la présence du *tout ensemble,* comme dans la cuisine chinoise, sauf que les saveurs tropicales sont ici trop contrastées pour être entièrement mariées synchroniquement. En suivant les distinctions opérées par Claude Lévi-Strauss entre l'ordonnance diachronique du repas français et celle, synchronique, du repas chinois, on constate que le désir caribéen de connaître la jouissance rassurante de tout en même temps se mêle au plaisir de l'attente de la succession programmée des saveurs. Et bien entendu, la surabondance est la règle pour les repas de fête. D'où parfois certains ratés de l'équilibre chaud/froid qui font que l'on assiste avec regret au refroidissement, sur la grande table, des plats chauds apportés *tous en même temps.* Comme si étaient toujours comptés ou menacés le temps et l'espace des bonheurs partagés.

Dans la figuration intellectuelle de l'identité caribéenne, tout semble tourner autour des conditions d'émergence de la figure de l'*homme-plante,* puissamment symbolisée par le chef-d'œuvre emblématique de Wifredo Lam, *La Jungle,* à propos duquel Aimé Césaire proclamait : « Nous nous sommes trouvés ! » Volonté créole de manifester l'enracinement réalisé, sans pour cela l'assimiler à la fixité puissante de l'arbre. L'Africain sous son baobab est aussi ancré que l'Européen sous son chêne. Partout dans le monde, des arbres sont là pour marquer l'appartenance, la frontière, le bornage, la pérennité. D'ailleurs, il est très important de noter que les deux *piliers* vitaux de l'économie antillaise, à savoir la canne à sucre et le bananier, ne sont pas des arbres, mais deux plantes herbacées monocotylédones, dont on coupe la tige-tronc pour recueillir le fruit, à l'inverse de la cueillette des fruits mûrs détachés de l'arbre bien préservé. Ainsi, la coupe de la canne et celle du bananier ressortissent du même geste : avec son coutelas, le paysan tranche les tiges assez minces pour abattre la plante en un ou deux coups, afin de récupérer le régime de bananes et la partie utile de la canne dégagée de son feuillage. Ensuite il faut de nouveau planter de nouvelles souches de canne et de bananier. Ces deux plantes, éléments de base de tout le système économique, représentent à la fois la cause majeure d'une séculaire exploitation et les deux puissants symboles de fertilité et de nutrition, omniprésents dans l'histoire et dans le paysage. Il est sans doute *naturel* que l'homme antillais ait pu s'identifier à elles à la fois pour donner l'image des vies tronquées, déracinées du sol, exploitées, mais aussi et surtout l'image de la vitalité créole, de la puissance d'érection d'un avenir nourricier et d'espérances sucrées, inlassablement réenracinées.

Car c'est comme si chaque coupe de canne ou du tronc de bananier faisait mourir d'un seul coup de coutelas l'ensemble de la plante, prélude d'une nouvelle renaissance à partir du choc du déracinement. Ce qui n'est pas sans incidence anthropologique sur la manière dont les rapports entre l'homme et la nature, cette mère nourricière, ont été édifiés. Dans le cas des arbres fruitiers, c'est l'arbre tout entier qui est à protéger pour qu'il continue à donner des fruits l'année suivante. Alors que le tronc du bananier ou de la canne est un *roseau sucré,* signe supplémentaire de cette civilisation roseau, édifiant sa fertilité à partir du déracinement. Et au vu de ce que représentent pour la Caraïbe la canne et la banane, on comprend aisément pourquoi l'image de l'arbre ne fonctionne pas ici comme symbole de l'identité enracinée.

Le refus d'identification avec tout signe d'enracinement n'empêche cependant pas la profonde sympathie pour l'arbre, le *pied-bois* créole, car les grands arbres fruitiers solides et fertiles sont bien présents dans la nature, mais pas dans son exploitation réglée. Ils apparaissent comme un cadeau ne nécessitant pas le travail harassant de la récolte de la canne ou de la banane. Par exemple, on trouvera avec bonheur dans la cour de la case un manguier, un avocatier et surtout un arbre-à-pain, le fruit porteur des bienfaits du légume, le légume qui tombe du ciel. Le foisonnement des fruits tropicaux s'oppose à la dureté du travail des champs de canne et

115

de la plantation de bananiers. Mangues, oranges, cocos, ananas, corossols, pommes-cannelles, pommes-lianes, prunes de Cythère, letchis, ces fruits et ces racines, à la différence de la canne ou de la banane, n'ont jamais véritablement fait l'objet du commerce colonial d'exportation intensive ; ils trônent royalement sur les marchés locaux ou bien font l'objet d'offrandes et représentent indirectement dans l'économie domestique de l'île la jouissance de ces fruits qui n'ont jamais été esclaves. Aussi, c'est pourquoiles charrons de Marie-Galante procèdent à un cérémonial d'excuses avant d'abattre un arbre ; ou bien qu'ils ne procèdent jamais à l'abattage d'un arbre qui porte encore ses fruits. C'est avec moins de respect que les bandes d'enfants, à l'image de ceux de *La Rue Cases-Nègres,* prennent plaisir à cueillir les fruits, à coups de pierres sur l'arbre, et à les déguster librement sur les chemins d'écoliers, le jus sucré dégoulinant sur les lèvres et les chemises, sans attendre les rituels de la table ni l'heure du dessert.

Fruits de liberté de nos arbres trop fiers pour être domestiqués, *pieds-bois* trop libres pour enraciner l'identité, à mille lieues terrestres des chênes, des baobabs et des banians, implantés dans les trois continents de nos déracinements.

L'arbre n'est donc pas un homme, ni l'homme un arbre. Aussi, pour l'écrivain Édouard Glissant, l'identité créole se définit-elle par le refus de promouvoir une *identité-racine* (dont le modèle selon lui serait particulièrement opératoire en Europe, malgré sa mise en cause philosophique notamment par Gilles Deleuze) au profit d'une *identité-rhizome,* modèle pour lui d'une *poétique de relation* nouvelle dans le cadre d'une *mondialité* faite de dialogues pluriels opposée aux laminages uniformisateurs de l'actuelle mondialisation.

L'écrivain haïtien René Depestre propose lui aussi une

analyse du métissage de la Caraïbe à partir de cette idée commune d'enracinement mobile. Non pas à l'image du fromager, du baobab ou du chêne, trois arbres qui représentent – l'un aux Antilles, l'autre en Afrique et le troisième en Europe – la permanence, la puissance et la fixité identitaires, mais à partir du banian, qu'il a découvert dans l'océan Indien, cette autre région cousine en tout point de la Caraïbe par son identité créole métisse puissamment revendiquée :

> Un jour, j'ai découvert à l'île Maurice le banian, arbre sacré du Sud-Est asiatique dont les racines ont la faculté, après un premier développement en tronc unique, de redescendre à la terre nourricière pour s'assurer d'autres successives remontées à la lumière. Mon identité banian situe ma vie et mon aventure de poète à l'inverse de l'exil. L'imaginaire du banian utile transplanté chez tout être humain ne peut être que l'inverse des bricolages nationalistes, le contraire de la racine unique, le contre-pied démocratique des doctrines du mépris et de la haine.

Au cours d'un entretien réalisé avec Aimé Césaire, comme je lui demandais quel objet de la nature il aimerait être, il m'avait répondu :

> J'ai la tentation panthéiste, je voudrais être tout ! je voudrais être tous les éléments. Mais c'est vrai que j'ai toujours été fasciné par l'arbre. Le motif végétal est un motif qui est central chez moi. L'arbre est là. Il est partout. Il m'inquiète, il m'intrigue, il me nourrit. Il y a le phénomène de la racine, de l'accrochement au sol. Il y a le phénomène du fût qui s'élève à la verticale. Il y a le motif de l'épanouissement du feuillage au soleil et de l'ombre protectrice. Tout cela fait partie de mon imaginaire incontestablement…

Aimé Césaire m'évoquait ces identifications juste au moment de préparer la parution de son dernier recueil de poèmes, en 1981, dont il venait de trouver le titre : *Moi, laminaire…* Définition même de son identité par cette algue marine. Image de la fidélité à l'île originelle qui n'est rien d'autre qu'une terre qui tente de surnager, battue sans cesse par l'eau et défoncée par le raz-de-marée, image en même temps de fragilité de l'algue mouvante au gré de la vague, presque invisible, presque noyée, comme si le premier coup de mer pouvait l'emporter, alors qu'en réalité, l'algue laminaire reste puissamment accrochée comme une ventouse au rocher et qu'aucune lame ne peut l'en détacher. On voit bien comment cette image rejoint celle de peuple roseau, en opposition à celle du fromager, du baobab, du chêne, phares visibles éclairant la géographie. L'image du rhizome, qui nous entraîne loin de la verticalité de l'arbre, dans une horizontalité offerte, et l'image plus délicate encore de la laminaire que caresse l'écume ou qu'agressent les lames, tout cela manifeste avec cohérence la puissance d'une identité bien établie, équilibrée entre les éléments contraires. Une identité caribéenne qui échappe à la terre dure grâce à l'écume, à la terre aride grâce à la lave, à la noyade grâce à l'ancrage, au froid des abysses grâce au soleil, et à la nuit grâce aux étoiles et aux lucioles.

Sans doute peut-on y retrouver le vœu réalisé de l'adéquation postulée par Gilles Deleuze entre l'homme et l'île dans son texte *L'Île déserte* paru aux Éditions de Minuit en 2002 :

> Il faudrait que l'homme se ramène au mouvement qui l'amène sur l'île, mouvement qui prolonge et reprend l'élan qui produisait l'île. Alors la géographie ne ferait qu'un avec l'imaginaire. Si bien qu'à la question chère aux

explorateurs anciens « quels êtres existent sur l'île déserte ? »
la seule réponse est que l'homme y existe déjà, mais un
homme peu commun, un homme absolument séparé, absolument créateur, bref une idée d'homme, un prototype, un
homme qui serait presque un dieu, une femme qui serait
une déesse, un grand Amnésique, un pur Artiste, conscience
de la Terre et de l'Océan, un énorme cyclone, une belle sorcière, une statue de l'île de Pâques. Voilà l'homme qui se
précède lui-même.

En ce sens, l'homme de la Caraïbe serait bien celui qui a
su réaliser en lui cet imaginaire de l'île : être-oasis entre
mirages, déluges et déserts. Et, entre les bonds du vent et la
ferveur du ciel, consentir à l'horizon de lui-même au lieu de
s'évader.

IV
Les oiseaux du possible :
l'écriture des identités caribéennes

Ceux-là qui furent se croiser aux grandes Indes atlantiques, ceux-
là qui flairent l'idée neuve aux fraîcheurs de l'abîme, ceux-là qui
soufflent dans les cornes aux ports du futur
Savent qu'aux sables de l'exil sifflent les hautes passions lovées
sous le fouet de l'éclair.

Saint-John Perse *(Exil)*

IV
Les oiseaux du possible
(l'ouverture des identités tribales)

1
Ainsi parlaient les oncles...

«Nous ramassions des injures pour en faire des diamants» (René Ménil). Tel est, dès l'origine, l'acte fondateur de toute création dans les îles caraïbes. Remontée de la fosse du mépris. Marquée au XXe siècle par l'irruption d'une véritable Internationale caribéenne, d'écrivains et d'artistes, attentifs à relier chacune de leurs îles natales aux solidarités de l'archipel, et aussi, comme l'annonçait Césaire, «poreux à tous les souffles du monde».

Cependant, deux solitudes persistent au secret de la nuit, celle du poète et celle du musicien. Sans auditoire, sans référence, sans compagnie : ici s'inaugurent le blues et la poésie noire, à l'écart du chœur de la veillée noire et de l'auteur collectif des contes et des negro spirituals.

Et dès l'origine, tout comme le bluesman parti seul sur la route doute avec sa guitare des victoires à venir de l'amour ou de la liberté, le doute est jeté par le poète lui-même sur toute issue d'espoir et sur la validité de sa révolte de pages noircies en chambre, à l'abri des punitions collectives, à l'écart des marronnages en bandes. Complainte du poète guyanais Léon Damas (si violente et indicible que, dans l'édition définitive de son recueil *Pigments,* le premier vers de ce poème de 1937 sera supprimé) :

La liberté m'est une douleur affreuse
mes aujourd'hui ont chacun sur mon jadis

123

de gros yeux qui roulent de rancœur
de honte…

Mais toute honte bien bue sait aussi se faire nourricière de la lucidité, et la peau frappée en tambour sait se rebeller chez Aimé Césaire en mémoire de tous jusqu'à faire taire les chiens :

> Est-ce ma faute si par bouffée du fond des âges, plus rouge que n'est noir mon fusc, me montent et me colorent et me couvrent la honte des années, le rouge des années et l'intempérie des jours…

Cependant, si la voie collective est dès l'abord assumée, la voix des langues d'Europe originellement imposées est susceptible de trahison. Le poète haïtien Léon Laleau s'interroge encore avec un humour caché en huitain classique sur l'adéquation entre le collectif fonds nègre et les formes esthétiques de la modernité :

> Ce cœur obsédant, qui ne correspond
> pas à mon langage ou à mes costumes
> et sur lequel mordent comme un crampon
> des sentiments d'emprunt et des coutumes
> d'Europe, sentez-vous cette souffrance
> et ce désespoir à nul autre égal
> d'apprivoiser avec des mots de France
> ce cœur qui m'est venu du Sénégal ?

Ainsi parlaient mes oncles d'Amérique aux premières décennies du XXe siècle.

Ainsi leur poésie s'inscrit-elle dans le moment du cri plus que dans la durée de la plainte, de la blessure vive plus que de la maladie.

Ainsi parlaient aussi les oncles d'Haïti, de Jean Price-Mars à Jacques Roumain, magnifiant l'indigénisme contre les imitations du Parnasse, ce dernier revendiquant dans son poème « Bois d'ébène » d'apprendre aux tam-tams le langage de l'*Internationale* :

> Ouvrier blanc de Detroit, péon noir d'Alabama
> le destin nous dresse épaule contre épaule
> et reniant l'antique maléfice des tabous du sang
> nous foulons les décombres de nos solitudes...
> (Jacques Roumain.)

Ainsi parlaient encore les oncles des Antilles à Paris, en rupture avec leurs bourgeoisies natales, emmenés par Étienne Léro et René Ménil, qui publient en 1932 l'unique numéro manifeste de leur revue au titre accusateur, *Légitime Défense* :

> L'Antillais, bourré à craquer de morale blanche, de culture blanche, d'éducation blanche, de préjugés blancs, étale dans ses plaquettes l'image boursouflée de lui-même... Il se fait un point d'honneur qu'un Blanc puisse lire tout son livre sans deviner sa pigmentation. Son complexe d'infériorité le pousse dans les sentiers battus : Je suis nègre, vous dira-t-il, il ne me sied point d'être extravagant.
> (Étienne Léro.)

Fils prodigues sans retour, ces poètes neufs divorcent de leurs familles bourgeoises, mais, coupés par leur formation et leur origine de tout lien charnel avec les cultures créoles populaires, ils se retournent vers l'Europe pour y trouver les formes logiques de leur engagement esthétique et politique : le marxisme et le surréalisme. Et leur défiance devant toute clôture de race les conduit à faire sans conscience nationale l'expérience de l'internationalisme :

C'est ainsi que n'ayant pu ressentir l'unité du monde de la vie matérielle et du monde de l'imaginaire, nous nous accommodions d'une disjonction qui sera choquante pour nous après coup. D'une part, nous prenions en compte la société coloniale antillaise et nous en faisions une critique et une description réalistes. Mais, d'autre part, nous produisions des poèmes sans enracinement dans cette société, des poèmes de nulle part, des poèmes de personne.

(René Ménil.)

Le risque était bien pour eux de retomber dans la dérive raciale que leur souci d'internationalisme les conduisait à dénoncer, en raison de l'oubli de la spécificité anthropologique de leurs communautés au profit d'un projet universaliste non plus racial mais politique. L'oubli de l'Antillais derrière le prolétaire conduisait à retrouver le Nègre là où on ne l'attendait plus, ce qu'atteste René Ménil, à cinquante ans de distance de leur manifeste :

Il faut convenir que *Légitime Défense* commence déjà – sans penser à mal – à esquisser les traits d'une mentalité nègre en général. Déjà on voit apparaître le Nègre « doué d'une imagination sensuelle et colorée », le Nègre qui « refuse la puissance et accepte la vie »... Le fait est que les signataires de la revue ne les ont pas exprimés avec assez de prudence parce que la constitution à partir d'eux d'une mythologie aliénante fut impossible.

Car, sous le masque préservé de leurs peaux « de couleur », des hommes neufs étaient bien nés, bien cachés derrière les dénégations des maîtres anciens et le foisonnement aveuglant des paysages. Et, du Noir esclave colonial au prolétaire international, le chemin ne saurait se tracer directement sans la prise en compte de l'apparition d'un homme neuf : l'Antillais, immigré enraciné, descendant métis né de purs méconnus, non plus circonscrit dans une couleur de peau, mais dans des sociétés dont l'histoire s'est inscrite en secret dans une géographie qu'il s'est appropriée, édifiant dans sa nuit un pays bien implanté dans la chair de son paysage :

> ma négritude n'est ni une tour ni une cathédrale
> elle plonge dans la chair rouge du sol
> elle plonge dans la chair ardente du soleil
> elle troue l'accablement opaque de sa droite patience
> (Aimé Césaire.)

Le poète retrouvé solidaire va se hisser lui-même hors de sa solitude retranchée, s'affirmant orgueilleusement la bouche des malheurs qui n'ont point de bouche, le porte-voix des rébellions sans plaintes ni plaidoyers.

Dès lors, c'est l'attachement à l'expression la plus haute du poète, du danseur et du musicien qui va éclairer l'écrivain sur la réalité et la profondeur de son enracinement, la création au secours de sa re-création. C'est alors que la poésie noire fête à Paris sa reconnaissance. Avec Césaire et Gratiant les Martiniquais, Senghor le Sénégalais, Damas le Guyanais, Tirolien et Niger les Guadeloupéens, Roumain le Haïtien, Hughes l'Américain, Guillén le Cubain, et tous les musiciens, du *Bal Nègre* à *La Cabane cubaine* et de *La Cigale* à *La Rhumerie,* le poète noir se présente en Narcisse sans reflet, découvrant alors non quelque artificielle identité raciale, mais la source de sa ferveur dans une essentielle solidarité, au-delà des masques nègres et du miroir des Blancs.

Et la mémoire du voyage et de l'histoire modèle seule l'identité de la terre devenue natale :

J'accepte
et mon originale géographie aussi ; la carte du monde faite
à mon usage, non pas teinte aux arbitraires couleurs des
savants, mais à la géométrie de mon sang répandu
(Aimé Césaire.)

Comme l'écrivait le poète guadeloupéen Paul Niger, la Caraïbe s'est ainsi édifiée en inventant «une teinte inédite offerte à l'arc-en-ciel, initiation subtile d'un monde parachevé».

2

Cuba et la génération de Nicolás Guillén :
les motifs du són

À Cuba et à Porto Rico, le *negrismo,* prenant la suite de l'indianisme, quête d'un passé non espagnol par identification à la destinée de l'Indien vaincu, est pour l'essentiel un phénomène littéraire émanant des écrivains blancs créoles dans les années 1920. Les fortes populations noires de ces deux îles de la Caraïbe hispanique caractérisées aussi par un fort peuplement blanc ont joué le rôle d'objet exotique auprès d'écrivains qui trouvaient dans la célébration de l'art et de l'âme nègres un correctif à l'«excès de technicité» de la civilisation occidentale dans le sillage des courants primitivistes européens : de la peinture de Picasso aux thèses de Frobenius sur les cultures africaines, en passant par la musique de Stravinski (*Piano Ragtime music,* 1919), le théâtre d'O'Neill (*Empereur Jones,* 1921), *L'Anthologie nègre* de Blaise Cendrars (1927) à côté du témoignage d'André Gide sur la réalité coloniale (*Voyage au Congo,* 1927).

Pendant ces mêmes années 1930, à Porto Rico, dans des revues comme *Alma latina* («revue de culture hispanique au service de la race») ou *Sábados de la democracia,* les poètes, très ouverts aux expérimentations esthétiques venues de toute l'Europe, de l'Italien Marinetti, du Français Apollinaire et des ultraistes espagnols, trouvent dans l'exaltation de la créativité nègre un contenu adéquat à la révolution des formes qu'ils tentent de mettre en œuvre : «sensualité dynamique, réalisme charnel, musicalité d'onomatopée». Chez le grand poète Luis Palès Matos, chef de file – avec sa *Danse nègre* de 1929 – de cette génération d'écrivains portoricains blancs, très influencé aussi par les thèses de Spengler sur la décadence de l'Occident, la culture nègre de son île était exaltée non par et pour elle-même, mais en raison de sa fonction de contre-exemple du « *décadentisme blanc* » :

> Je crois seulement en un art qui s'identifie à l'essence même des choses. Le sentiment esthétique de la race blanche est parvenu à un stade de dangereuse cérébralisation, annulant ses racines cosmiques.
> (*L'Art de la race blanche*, 1929.)

On retrouve cette même préoccupation à Cuba, là encore surtout chez les poètes blancs, autour de la *Revista de Avance,* sous l'impulsion du sociologue et musicologue Fernando Ortiz, puis avec la *Revista de Estudios afro-cubanos,* revue d'études afro-cubaines publiée de 1937 à 1940. Cependant, avec cette dernière, négrisme et afro-cubanisme cessent de ne constituer qu'un simple motif littéraire pour s'attacher à des préoccupations sociales et antiracistes, cela principalement sous l'influence de Nicolás Guillén, auteur de la célèbre *Ballade des deux aïeux,* qui déclarait vivre son métissage, issu du grand-père blanc et du grand-père noir,

> non comme une mystification idéologique, mais comme un état de grande santé, une capacité exceptionnelle de rébellion contre les tabous, les préjugés… L'esprit de Cuba est métis. Et c'est l'esprit qui donnera à notre peau sa couleur définitive. Un jour, on dira « couleur cubaine ».
> (Nicolás Guillén, *Sóngoro cosongo*, 1931.)

Couleur cubaine à venir, dans la droite ligne du message politique de José Martí : « Tout homme est plus qu'un Blanc, qu'un Mulâtre, qu'un Noir », au moment de la guerre d'indépendance contre l'Espagne pendant laquelle « tous décharnés et nus, Nègres et Blancs se sont trouvés égaux et ont cherché à ne plus se séparer ». Contre le colonisateur européen d'Espagne, l'alliance postulée du colon blanc cubain et de l'Afro-Cubain esclave pour leur commune libération politique et sociale, et l'espoir de la fin du racisme intérieur par la victoire contre l'oppression extérieure. Si l'indépendance acquise s'est accompagnée de l'abolition de l'esclavage en 1898, elle n'a pas pour autant aboli la prééminence politique, économique et sociale des Blancs sur les Noirs à Cuba. Mais, cependant, la *légitimité cubaine* des deux communautés blanche et noire s'est enracinée au sein d'un même État et d'une même terre par la lutte de libération nationale, alors qu'aux États-Unis celle-ci avait été conduite essentiellement par les maîtres blancs, et en Haïti par les Mulâtres et les Nègres esclaves seuls, une fois les Blancs chassés par la Révolution, beaucoup d'entre eux s'étant réfugiés justement à Cuba, avec armes et esclaves dans les grandes plaines de Santiago. En Haïti (Saint-Domingue à l'époque), c'est l'abolition de l'esclavage de 1794, conjointement imposée aux colons par le soulèvement des esclaves et par la France de la Révolution, qui a conduit à la lutte contre son rétablissement par Napoléon en 1802 et à l'indépendance nationale en 1804. À Cuba, l'oppression conjointe des colons et de l'Espagne a empêché la victoire contre l'esclavage jusqu'en 1898, mais le siècle entier a été ponctué de grandes révoltes des esclaves – dès 1802, par la *contagion* haïtienne et guadeloupéenne, puis particulièrement en 1812 et en 1843 –, qui furent en même temps des révoltes contre l'occupant espagnol. Car, avec le temps, la conscience africaine des révoltés s'était mutée en conscience afro-cubaine, la résistance devant conduire non à un retour vers une Afrique disparue, mais à l'enracinement sur l'île, l'égalité une fois protégée par un statut politique de liberté *entre Cubains* noirs et blancs garanti par le départ du colonisateur européen. L'évolution des formes de lutte l'atteste. Autant au début du siècle les connivences africaines de langages, de nations ou de religions cimentaient les révoltes, autant, à partir de 1843, la résistance prit la forme de soulèvements massifs organisés en forces de libération du pays contre la domination espagnole sans projet de retour à l'Afrique. De sorte que les Noirs esclaves prirent conscience de leur couleur cubaine bien avant les colons, attachés à la domination espagnole par souci de se protéger de la liberté et de l'égalité qui adviendraient de l'abolition. Et quand l'exacerbation des contradictions entre le colonisateur espagnol et les colons cubains conduisit aux luttes de libération nationale de 1868 et de 1895, l'alliance objective se fit entre esclaves et colons, non pas comme on a pu le croire sur un contrat léonin de fourniture passive de chair noire contre les canons espagnols, mais en raison de la conscience claire des résistants esclaves d'être le facteur déterminant dans le combat pour une nation libérée de la domination coloniale extérieure et de toute oppression de l'intérieur. L'armée de libération, tant en 1868 qu'en 1895, était majoritairement composée de soldats noirs, encadrés aussi par nombre d'officiers noirs, formés tant à l'art de la guerre d'Europe qu'à des stratégies de guérilla acquises dans les révoltes d'esclaves. De sorte que parfois la crainte du «péril noir» sur le modèle haïtien a pu expliquer les hésitations des colons entre, d'un côté, la protection assurée par l'Espagne et, de l'autre, la volonté d'indépendance ; ou encore chez certains l'appel aux États-Unis après l'indépendance, toutes attitudes dénoncées conjointement par deux des «pères de la nation cubaine», le général en chef noir, Antonio Maceo, et l'intellectuel blanc, José Martí. « Je protesterai également et m'opposerai de toutes mes forces à ce qu'une race usurpe les droits d'une autre race. » (Maceo, *Lettre à José Martí,* 1888.)

Et c'est ainsi qu'on peut donc dire que la *couleur afro-cubaine* est pour l'essentiel constitutive de la *conscience cubaine,* quelles que soient les tentatives de « prophylaxie raciale », apartheid culturel qui voudrait que les Noirs et les Blancs célèbrent leurs expressions culturelles chacun chez soi, les uns à la cuisine et les autres au salon, les uns à La Havane et les autres à Santiago. La scandaleuse vérité que célèbre le grand poète Guillén dans ses *Motivos de són,* c'est que l'héritage du grand-père noir ne tient pas seulement à sa mémoire des apports de l'Afrique originelle, mais qu'il tire sa prépondérance de la primauté de son combat originel pour une égalité et une liberté inscrites par la mort et pour la vie dans cette terre d'élection. C'est le grand-père noir qui est le véritable initiateur d'une conscience cubaine acquise dans la justesse et l'ardeur de ses combats de soldat de l'émancipation, de paysan nourricier de la terre d'élection, et de poète attaché à célébrer toutes les formes de cette originale cubanité, par-delà le blanc et le noir, de Santiago à La Havane, et de la cuisine au salon, Isadora Duncan dansant le *Són de la loma.*

Et cette couleur cubaine ne peut se fonder que sur le rejet de l'image déshumanisée et grimaçante que tant de poètes blancs proposaient alors du Noir, image dénoncée par la plupart des poètes noirs, comme Regino Pedroso, en 1939, demandant à son frère noir, *hermano negro,* d'offrir au monde, sans grimace colorée, la voix humaine de son cri rebelle.

Couleur cubaine combien difficile à bien composer, dans sa dimension nègre, populaire et paysanne, face à l'élite blanche qui applaudit ce qui constitue pour elle un piment d'exotisme, couleur locale à portée de sa main, et face à la bourgeoisie nègre qui en rejette les expressions esthétiques – musique et danse surtout – par souci d'assimilation au modèle européen. D'où le scandale lors de la publication le 20 avril 1930, dans le supplément dominical du *Diario de la Marina,* des poèmes *Motivos de són* de Guillén. Certains des critiques blancs lui reprochèrent d'attenter littérairement à la pureté de la musique populaire nègre en «civilisant» le rythme du son, d'autres lui reprochèrent de ne pas respecter la pratique dominante à l'époque de la «prophylaxie raciale». Quant à «l'aristocratie de couleur» du Club Aténas ou de l'Union fraternelle de La Havane, elle qui – comme partout à l'époque dans la Caraïbe – avait proscrit de ses salons le tambour nègre et les chants africains de la *santería* afro-cubaine, elle ne pouvait que condamner le mouvement de ces rythmes de la case paysanne exportés vers les salons littéraires par l'entremise du genre d'habitude si policé de la poésie exotique :

> La «bonne société» blanche ne pense pas de même car, au contraire de la noire, elle aime le son sans le craindre, n'en connaissant pas la «dangereuse intimité». Étrange affaire que ces Noirs lettrés refusant d'imiter les Blancs mais gardant tabou cette danse délicieuse sous le prétexte que le Blanc ne fait que consommer cette marchandise produite par le Noir et qu'il consomme lui le Noir pour son propre plaisir. (Gustavo Urrutia, *Diario de la Marina,* 1930.)

Ce qui est impardonnable aux yeux des bonnes sociétés blanches et de *couleur,* c'est que Guillén le premier refuse de jouer le jeu culturel de la répartition des rôles et célèbre les valeurs nègres en s'inspirant des formes nègres elles-mêmes, qu'il inscrit de plus dans la modernité par son geste créateur libre face à toute tradition.

Couleur cubaine attaquée de l'intérieur par le Noir et le Blanc purs, mais qui reçoit, venue d'Europe, la précieuse caution d'une lettre du prestigieux philosophe Miguel de Unamuno, véritable bombe littéraire entre les mains du pré carré des défenseurs de Guillén :

Voici longtemps, cher monsieur et cher camarade, en fait depuis que j'ai reçu et lu votre *Sóngoro cosongo,* que je me propose de vous écrire. Je l'ai relu depuis, je l'ai lu à des amis, et j'ai entendu García Lorca parler de vous. Je ne vous cacherai pas la profonde impression que votre livre a produite sur moi, surtout « Rumba », « Veillée mortuaire de Papa Montero » et les *Motivos de són.* Ils ont ému en moi le poète et le linguiste – la langue est poésie. D'autant plus que je suis attentif au sens du rythme, de la musique verbale des Noirs et des Mulâtres. Non seulement chez les poètes noirs américains, que je goûte avec délices, mais même chez ceux qui chantent en « papiamento », langue que j'ai apprise et qui est, comme chacun sait, le créole des Noirs de Curaçao. C'est l'esprit de la chair, le sentiment de la vie directe, immédiate, terrestre. C'est au fond toute une religion. Vous parlez, à la fin de votre prologue, de « couleur cubaine ». Nous parviendrons à la couleur universelle, intégrale. La race humaine spirituelle est toujours « se faisant ». C'est d'elle que naît la poésie. Et puisque vous dites « notre rire s'éveillera sur les fleuves et sur les oiseaux », j'aimerais vous faire connaître une petite chose que j'ai écrite le 5 janvier de l'année dernière, en 1931, alors que je ne connaissais pas encore votre livre. Voici :
Bienheureux les Nègres qui pleurent
car ils riront...
Notre terre sera conquise
par le rire pur de l'Afrique :

ce rire qui n'est que cela...
Dieu en riant veille sur les Noirs
grandis dans la magie du rire
Dieu ne fronce pas les sourcils
Bienheureux les Nègres qui rient
ils dormiront sans cauchemars!
Je vous serre la main comme à un compagnon de rêves.
(Miguel de Unamuno, Madrid, le 8 juin 1932, in *Mémoires de Guillén.*)

Témoignage capital en ce qu'il manifeste l'intensité de la demande européenne et l'importance des échanges qui ont existé dans l'entre-deux-guerres entre les mouvements culturels de l'Amérique francophone, hispanophone et lusophone, et ceux de l'Europe autour surtout de Paris et de Madrid. Poésie, danse et musique nègres, du jazz de Harlem à la biguine antillaise du *Bal Blomet* et à la rumba de la *Cabane cubaine* à Paris, imposent à une Europe qui, d'une guerre à l'autre, s'inquiète du destin morbide d'une civilisation mal nourrie de ce qu'Unamuno appelait «le sentiment tragique de la vie» l'image inversée d'une créativité négroaméricaine, dont la vitalité s'est épanouie comme une fleur sur les racines de la mort.

Échange inégal pourtant: un supplément d'âme et de rire demandé à ceux qui ont vaincu hier les puissances de mort pour sauver ensuite l'Europe pré-hitlérienne en perdition de vie.

Car de Palès Matos à Unamuno, comme auparavant du Cubain Heredia à Baudelaire, c'est la même demande parcellaire qui est faite à la figure du Nègre: fournir soit une forme vitale, soit un contenu de vie, une esthétique ou une philosophie, un corps ou bien une âme, jamais les deux à la fois.

Ainsi à l'heure où les écrivains noirs célèbrent l'avènement du Nègre à la condition d'homme au-delà du masque des peaux, les écrivains blancs créoles de la Caraïbe réduisent en toute bonne conscience le Nègre à ses seuls caractères complémentaires de l'Européen nécessaires au retour à l'équilibre perdu par l'Occident. Alors que le Noir d'Amérique, produit obligé du métissage de l'Europe et de l'Afrique, aspire à concilier en lui-même, dans ses actes et dans sa chair, tous les débris d'altérité imposés ou choisis afin de vivre pleinement une identité neuve et composite, l'intellectuel blanc créole «colonisateur de bonne volonté», même solidaire de cette émancipation, ne vit pas dans sa chair et sa peau, comme le fait Guillén, un métissage culturel dont il a été pourtant à la fois la cause et le produit. Ce qui lui donne, d'Unamuno au Sartre d'*Orphée noir,* la conscience malheureuse d'une coupure irrémédiablement constitutive de son aliénation, qui ne pourra pas être réduite par l'intégration de l'autre en lui-même, mais par l'assomption à côté de lui d'une figure du Noir comme autre, dont il garde cependant la maîtrise du tracé des contours.

Rester masqués pour paraître différents.

Or l'homme caribéen, métissé par les fureurs de l'histoire, a transformé un destin tragique et bâtard en pur choix de son avenir par la fusion créatrice en lui de toutes les aliénations et de toutes les altérités, sans que rien d'humain – du maître comme de l'esclave – ne lui soit étranger.

Mais le Blanc, qui a imposé au Nègre, par la chair et le fouet, par la foi et la loi, par les livres et le droit, le métissage comme signe de sa domination, voit sa victoire transformée en défaite, du jour où sa victime décide la transmutation de sa défaite en victoire, en assumant l'histoire comme une claire conscience de ses blessures présentes pour mieux guérir de la maladie mortelle des pleurs sur le passé.

Car tout vrai métissage ne peut naître que sur la perte assumée de la maîtrise de l'autre et de la pureté de soi :

Devinette
de l'espérance
Le mien est tien
le tien est mien
tout notre sang
forme un seul fleuve.
(Nicolás Guillén, *Són,* n° 6.)

Or, à cette époque, le monde blanc de la Caraïbe n'est prêt à perdre ni sa maîtrise ni sa pureté pour gagner la conscience de son antillanité. Conscience dès l'origine constitutive de la créativité de l'écrivain noir. De l'objet esclave jusqu'au paysan antillais, les écrivains blancs créoles caribéens de l'entre-deux-guerres n'ont perçu que la continuité de l'image du Nègre, objet central du paysage exotique, dont ils ont fait l'apologie pour lui-même et pour eux, en bonne ou en mauvaise conscience, contre les froideurs de l'hiver et de la raison.

Cependant il ne faut pas oublier que la peau est le seul masque qu'aucun être ne peut jamais enlever.

Le métissage socioculturel ne saurait se fonder sur l'effacement des couleurs en une seule teinte commune ni sur l'oubli de la peau, mais sur le dépassement de la couleur des peaux.

Cette tentation négriste née d'une aliénation européenne dans son rapport à l'autre a pu se rencontrer chaque fois que le métissage culturel a prétendu se fonder sur l'addition des seules puretés spécifiques de chacun, sur le mariage entre les seules qualités complémentaires de chaque communauté. Aussi bien en Europe qu'en Amérique ou en Afrique. À la même époque, par exemple, la conceptualisation de la Négritude par Léopold Senghor, présentée comme une anthropologie généralisatrice de l'*émotion nègre* face à la *raison blanche,* deux singularités incapables à elles seules de fonder une civilisation équilibrée, sinon par leur mariage d'amour et de raison, est plus radicalement éloignée qu'on ne l'a dit de ce qu'on peut appeler la Négritude antillaise de ses frères en poésie, Césaire, Damas, Roumain, Tirolien, qu'il présente dans sa grande *Anthologie* de 1948, et dont chaque poème est une récusation de toute idée de civilisation de l'universel, occidentale ou nègre, et une célébration de toute solidarité libre entre le multiple et le particulier.

Car le monde noir n'est pas fait pour aboutir à un seul beau *livre blanc* de ses émotions.

La force du poète noir d'Amérique, de Langston Hughes à Césaire et Damas, en passant par Roumain et Guillén, sera de proposer aux siens propres et au monde le modèle neuf d'un être non figé, « *balladant* » tous ses grands-pères dans un mouvement libre qui explore toutes les formes de ses identités, perdu corps et âme dans « le grand trou noir » pour mieux laisser s'opérer dans l'inconscient et l'inconnu la fission de ses impuretés et de ses incertitudes, jusqu'à la fusion créatrice que célèbre Nicolás Guillén :

> La mort a pris la fuite
> Et de son ombre impure
> du poignard, du poison, de la bête à l'affût
> le souvenir barbare aura seul survécu.
> Un cœur fait de deux cœurs resplendit aujourd'hui.

3
Haïti et la génération de Jacques Roumain :
une île lumineuse dans la nuit noire...

La révolution haïtienne, qui aboutit en 1804 à la création du premier État noir indépendant après sa victoire contre la France napoléonienne, qui voulait rétablir l'esclavage, fut la première libération nationale moderne à se réaliser sur les principes de l'égalité et de la liberté et dans les formes politiques et juridiques de la Révolution française, du roi Christophe à l'empereur Dessalines, en l'absence de modèle ancestral africain d'organisation politique ou ethnique. Le développement d'une conscience nationale fut en effet plus une conséquence de la libération que la cause de celle-ci, née à la fois d'une révolte sociale des Nègres contre l'esclavage et de la prise du pouvoir économique par la bourgeoisie de couleur issue de la communauté des Mulâtres affranchis.

En cela réside la situation originale d'Haïti : être investie – seule au monde pendant plus d'un siècle – de la responsabilité historique inédite de présenter une version nègre à l'identique des systèmes politiques européens, un État qui se devait d'autant plus de s'inspirer d'un modèle européen qu'il s'agissait d'abord de faire la preuve, face au monde blanc, que les anciens esclaves avaient accédé à l'égalité parfaite de compétence avec les anciens colonisateurs, à l'heure où partout ailleurs en Amérique sévissait encore pour longtemps l'esclavage des Nègres. Et cela dans une situation de blocus économique et de quarantaine politique de la part de la quasi-totalité des puissances européennes et nord-américaine blanches, soucieuses de circonscrire ce modèle scandaleux d'émancipation. De sorte que l'absence de légitimité populaire de l'État a initié une dérive politique, une noria de dictatures encerclant des républiques sans assises économiques viables ni légitimité véritablement issue d'une conscience collective populaire.

C'est à l'expression culturelle – et d'abord à la littérature et à la philosophie – que fut dévolu le rôle de célébrer à l'extérieur le modèle haïtien. Issu de ce qu'Hannibal Price nommait «La Mecque, la Judée de la race noire», l'écrivain haïtien s'est établi en prophète de la dignité nègre, témoignant pour toutes les communautés nègres réduites au silence et imposant à l'Europe un débat sur les droits de l'homme, mais cela dans les formes et sur les terrains éprouvés par celle-ci : la liberté de parole du témoin et de jugement du juge, mais selon la loi des tribunaux étrangers.

Pas une apologie du racisme en Europe qui ne trouve sa contradiction immédiate dans un ouvrage haïtien : par exemple en 1880, *De l'égalité des races humaines,* d'Anténor Firmin, ou en 1900, *De la réhabilitation de la race noire,* d'Hannibal Price, en réponse aux théories de Gobineau, Houston Chamberlain et Vacher de Lapouge. Pas une école littéraire de Paris, du romantisme au surréalisme, qui ne trouve son écho amplifié dans les salons littéraires de Port-au-Prince, sans doute l'endroit du monde où l'on récite par cœur le plus de vers français.

À l'époque contemporaine, le passage d'une expression extravertie de la culture sous le regard de l'autre à un retour sur soi dans la forme et le fond fut brusquement accéléré par un phénomène politique qui allait replonger Haïti dans une situation de type colonial : l'occupation américaine de 1919 à 1934.

Car ce second combat de libération ne put alors aboutir qu'en affirmant la légitimité de la «nation haïtienne», au nom cette fois d'une identité reconnue de tous. Après les décennies dominées culturellement par la célébration de l'épopée historique, par le ressassement du messianisme, puis, en contraste, par le désengagement politique avec la mode du formalisme parnassien et de l'impassibilité dandy, les intellectuels haïtiens redécouvrent que la glorification du passé depuis 1804 et la réflexion aux miroirs étrangers les ont éloignés de la quête narcissique du nous collectif, ici et maintenant. Un siècle à rattraper, du retard de la nation sur l'État. Du paysan nègre sur le bourgeois mulâtre. De la poésie sur la société littéraire trop prosaïque.

Ainsi parla l'oncle, l'œuvre symbolique de cette prise de conscience, fut composée par Jean Price-Mars en 1928. Un oncle qui parle le langage des contes nègres, des chants paysans, de la religion vaudoue et du langage créole. « À force de nous croire des Français colorés, nous désapprenons à être des Haïtiens tout court. Nous n'avons de chance d'être nous-mêmes que si nous ne répudions aucune part de l'héritage ancestral. Eh bien ! cet héritage est pour les huit dixièmes un don de l'Afrique », déclare-t-il dans sa préface.

Quatre revues vont s'attacher à réaliser le programme établi par Price-Mars : explorer les racines nègres des danses et des blessures d'Haïti, *La Revue indigène* (1927-1928), puis *La Trouée* qui, sous l'influence du primitivisme, alla plus loin dans l'analyse des sources africaines de la culture et de la religion. Et surtout *Les Griots* dont le premier numéro, en juillet 1938, s'ouvrait sur un important texte-manifeste du poète Carl Brouard :

> Nos regards se dirigeront vers l'Afrique douloureuse et maternelle. Les splendeurs disparues des civilisations du Soudan font saigner notre cœur...

Il faut construire une civilisation intégralement haïtienne. Mais où irons-nous la chercher sinon dans le peuple?... Nous autres, griots haïtiens, devons chanter la splendeur de nos paysages, la beauté de nos femmes, les exploits de nos ancêtres, étudier passionnément notre folklore.

Avec la revue *Optique* (1954-1957), un pas de plus fut franchi dans la mesure où ses responsables posèrent le problème de l'usage du créole, langue maternelle de la nation, comme langue de l'État et de la culture. Pour en asseoir la dignité littéraire, nombre de poètes n'hésitèrent pas à traduire en créole des œuvres du patrimoine universel: *Antigone* de Sophocle par Félix Morisseau-Leroy et *Œdipe roi* par Frank Fouché. Le cinquième numéro de la revue fut entièrement rédigé en créole, avec cette proclamation de Frank Fouché:

> *Créol fèt pou moun nèg*
> *Créol pa fèt pou boujoua*
> (Le créole, c'est pour les Nègres
> Le créole n'est pas pour les bourgeois)

Si le créole symbolise l'enracinement créatif du Nègre haïtien, le vaudou, lui, manifeste l'évidence de la vitalité de la marque africaine. Et face aux campagnes anti-superstitieuses, nombre d'intellectuels œuvrent à la reconnaissance de cette religion qui sentait le soufre et le tabou:

> Le Vodou n'est pas le produit d'une grossière superstition. Né dans le pays d'Afrique, dont il reflète le puissant mystère, il est le produit d'une spiritualité qui remonte à un passé légendaire... Ce Vodou est essentiellement cosmogonique, philosophique, et spiritualiste.
> *(Les Griots.)*

On pourrait s'étonner de découvrir que l'un des deux auteurs de cette analyse publiée dans *Les Griots* était l'ethnologue François Duvalier, un intellectuel noir renommé pour son combat en faveur des cultures populaires, et qui, entré en politique, instaurera en 1957 la plus sanglante des nombreuses dictatures qu'aura connues Haïti. Voilà sans doute qui ne peut s'expliquer que par la prédominance tragique de la fonction de représentation sur le pouvoir du sujet représenté. En politique comme en littérature.

Car en Haïti, dès l'origine, ou plutôt à cause de l'origine, la politique et la culture ne fonctionnent pas d'abord comme émanation créatrice d'une identité collective, mais surtout comme représentation déformée de cette identité, par l'attention portée au miroir de l'Europe et du Blanc. Le problème est que l'Europe et le Blanc ne sont eux-mêmes que le masque plus ou moins inconscient du rapport à la maîtrise politique et au pouvoir intellectuel.

Pour avoir vaincu le maître blanc en s'attaquant aux signes majeurs de sa maîtrise – le pouvoir d'État et le savoir culturel – les Haïtiens, comme souvent après eux tant d'intellectuels du tiers-monde, ont érigé des modèles de maîtrise calqués sur une vision abstraite de l'Europe, réduite à la figure du colonisateur, sans pouvoir prendre en compte les structures économiques, sociales, politiques et culturelles qui font des pays d'Europe non pas une sorte de paradis de la maîtrise, mais, comme partout ailleurs dans le monde, un lieu d'affrontement et de résolution de contradictions inhérentes à toutes les sociétés civiles affrontées à la question de leur représentation politique. Parce que, très longtemps, l'Europe ne fut représentée dans ses colonies que par les figures associées du missionnaire, du colon, du maître d'école et du soldat, le combat de libération chez beaucoup de colonisés a été réduit à la lutte contre ces quatre instances étrangères, suivie de la reprise pour soi du pouvoir de ces quatre figures intériorisées. Sans le temps ni l'espace pour trouver une forme adaptée de constitution légitime d'un original État de droit.

En somme, dans le miroir des yeux de l'autre, ce n'est même pas l'autre vrai qui se montre, ou que l'on voit.

Ou parfois que l'on cherche. Car ce miroir a lui-même bien servi de légitimation à toute quête illégitime du pouvoir, délivrée du souci de la représentation vraie des opprimés, ou à tout détournement du pouvoir, au nom de la représentation symbolique des opprimés muets. Et plus le détenteur du pouvoir est illégitime, plus il s'érige comme Duvalier en représentant de la race (noire) ou de la condition sociale (esclave). Race et histoire colorent de noir le visage de la maîtrise : le pouvoir politique s'identifie à la fonction des colons et des soldats noirs, le pouvoir culturel à celle du missionnaire et du maître d'école noirs. En un siècle, près de dix présidents élus s'érigent en présidents à vie et trois anciens esclaves se proclament empereurs d'Haïti. Et chaque fois avec une légitimation intellectuelle, raciale ou nationale, la dictature en Haïti commençant toujours sous la forme du despotisme éclairé et du salut à la peau.

De là découle le projet dictatorial de François Duvalier par le détournement négriste d'une stratégie de représentation d'une classe opprimée comme le montre l'anthropologue Laennec Hurbon :

En lui comme chef d'État se réaliserait l'essence de l'intellectuel ou du politicien haïtiens : offrir en spectacle à l'étranger «blanc» le Nègre devenu enfin rigoureusement maître. Propriétaire et producteur de la nation haïtienne, ainsi se présente-t-il, avec la «toute-puissance» et l'«omniscience» dont le maître s'auréolait face à l'esclave. Mais,

dans un même mouvement, il se trouve que se convertit en réel l'imaginaire de barbarie que le maître nourrissait et déployait autour de la figure de l'esclave.
(Le Barbare imaginaire.)

Le tragique de la littérature haïtienne, c'est que l'acte d'écrire, dans l'ordre du culturel, a joué le même rôle que l'acte de gouverner, dans l'ordre du politique. Romanciers et poètes se sont érigés en missionnaires pour témoigner de l'humanité de leur peuple au lointain tribunal de l'autre européen ; et en soldats de la dignité nègre sur les champs de bataille idéologiques de Paris ; ce qui les a conduits à constituer leur propre communauté une fois de plus en objet exotique, en terrain d'observation et en trésor de réserve, utilisables en fonction de leurs stratégies de reconnaissance culturelle par le seul interlocuteur européen, tout aussi « exotique » en réalité, mais lui dans la position non pas d'objet mais de sujet, maître de la sentence finale. Ce qu'a bien stigmatisé l'écrivain Jean-Claude Fignolé : « Je me cherche dans un ailleurs que je crois mien pour abriter les songes qui, en fait, appartiennent à d'autres. J'éprouve avec ravissement la volupté d'être possédé par qui me fascine… Qui donc me délivrera de l'obsession de l'étranger sauveur ? » *(Vœux de voyage,* 1978.)

Alors même que les parnassiens antillais cachaient la tragédie humaine derrière le décor du Paradis perdu, la poésie haïtienne s'est au contraire nourrie de la célébration du souvenir de l'esclavage et de l'épopée de la libération présentée comme le grand mythe d'origine pour toute humanité nègre en lutte contre l'enfer d'Amérique. Mais oubli ou souvenir, c'est d'abord la mémoire de l'autre qui est visée, c'est d'abord la conscience de l'Européen qui est interpellée. L'image du temps passé est ainsi offerte à la mémoire de l'étranger, au détriment souvent de l'histoire présente d'une humanité que l'écrivain s'obstine à ne percevoir que comme absentée ou virtuelle, *zombis identitaires,* objets silencieux de son ressentiment ou de ses espérances : « Nous ressassons de vains reproches sans rien tenter contre les semeurs de deuil. Qui nous écoute ? Marionnettes et girouettes au cirque des saisons… À peine réveillés, nous ouvrons un œil, dans l'instabilité du souvenir et de l'oubli. Mais nous avons oublié les séquences essentielles du rêve. » (Franketienne, *Les Affres d'un défi.*)

Mais si l'œuvre littéraire est ainsi toujours en décalage par rapport à l'espace-temps réel et au sujet historique haïtien enraciné dans l'ici et maintenant, que reste-t-il pour affirmer la prééminence du présent sinon la personne de l'écrivain lui-même, parole de chair et d'os qui s'érige à elle seule en figure de représentation du moment contemporain en lieu et place de l'œuvre littéraire elle-même, trop occupée du passé et de l'ailleurs ?

Et c'est ainsi que la littérature haïtienne a dès l'origine été aliénée par le poids de la fonction sociale et politique de l'écrivain : « Le véritable écrivain, quand il atteste par ses œuvres le sentiment de sa race et de son milieu, s'impose comme la première autorité sociale de son peuple », proclame le poète Duraciné Vaval en 1933. Autant dire que la fonction sociale l'emporte sur la fonction de création, la fonction de témoignage sur celle d'imagination, le pouvoir de l'écriture sur la puissance de la fiction.

L'écrivain écrit pour avoir le droit à la parole.

Et sa parole, plus que son œuvre, lui ouvre le droit à la représentation d'une humanité qu'il a pourtant tant de mal, dans son œuvre même, à représenter. C'est alors qu'il prend appui sur l'action politique pour transformer selon ses espérances un monde qu'il n'a pas su voir ni peindre tel qu'il était. Et la littérature est engagée au seul service de l'engagement de l'écrivain.

Aussi la puissance très réelle de la classe intellectuelle en Haïti s'est affirmée au détriment du pouvoir subversif du travail de l'imagination créatrice.

D'où, malgré la mémoire de l'épopée victorieuse qui fait d'Haïti le seul peuple noir d'Amérique à pouvoir célébrer, avec l'épopée de 1804, un mythe d'origine historiquement daté, la permanence dans la littérature haïtienne d'un *sentiment tragique de la vie,* pour reprendre l'image d'Unamuno.

Autant le Cubain Nicolás Guillén cultive le rire et la dérision du poète-clown qui *se rit du monde entier,* ou le Guyanais Damas l'ironie lucide du poète-clochard dandy, autant seul le tragique nourrit les poèmes et les romans de Jacques Roumain :

> Tes lèvres sont blêmes
> chante quand même
> tes pieds s'alourdissent, le lien
> se casse.
> Va, poète, crever dans la niche du chien.
> («La danse du Poète-Clown.»)

Manuel, le héros paysan de son chef-d'œuvre *Gouverneurs de la rosée,* apparaît comme un Christ nègre rédempteur, et son héroïne paysanne, une victime expiatoire, porteuse du seul espoir d'un enfant à faire naître des cendres de son père crucifié, gouverneur posthume de l'avenir.

En revanche, les trois premières nouvelles et son roman, *Les Fantoches,* prose de jeunesse, dressent le portrait désenchanté de l'intellectuel haïtien, «fantoche» tragiquement coupé de tout arrière-pays, véritablement absenté à son peuple et à son terroir, plante stérile fanée en décor des salons de Port-au-Prince, partagé entre le suicide physique et le suicide moral que lui propose l'ordre bourgeois :

En vérité, tu me fais penser à ce fou qui voulait incendier la mer avec une allumette. D'ailleurs, qui es-tu pour vouloir devenir un vainqueur ? Lance un regard derrière toi, et le dégoût submergera ton cœur débile. La politique t'attira un temps ; tu ne fus jamais qu'un démagogue puéril ; tu te croyais littérateur (tu le crois encore), tu écrivis des manifestes, des poèmes et un livre que personne ne lit. Tu es un pitoyable petit-bourgeois conscient de ta laideur et de ton impuissance. Cette claire vision de toi-même, voilà ton seul mérite.

(*La Proie et l'Ombre,* 1930.)

Alors la force et la pureté de l'engagement de l'écrivain ne peuvent s'exprimer que dans la condition de l'exil. Exil intérieur reniant le pouvoir politique et culturel de Port-au-Prince pour célébrer la quête indigéniste des traditions paysannes, des chants, des danses nègres, des réminiscences africaines et de la puissance magique du vaudou. Exil à l'extérieur par le voyage à la rencontre des prolétariats multicolores, que vient éveiller le « Nègre colporteur de révolte, qui connaît tous les chemins du monde, des rails du Congo-Océan au cyprès de Géorgie, du mineur des Asturies au paria des Indes et au berger d'Abyssinie ». Double exil à la source de toute l'œuvre de Jacques Roumain.

Et c'est ainsi que le poète haïtien invente une forme inédite du romantisme. Effaçant l'heure de l'écrasant soleil de midi des parnassiens antillais, le poète va se couler corps et âme dans le paysage de l'aube ou du crépuscule, l'heure pour lui à l'échelle humaine entre l'éclat solaire et les puissances de la nuit, l'heure la moins exotique où il peut trouver la lumière propice à sa lucidité blessée, l'heure où l'oreille attentive peut enfin percevoir ce qu'écoutait Suzanne Césaire du silence du paysan noir au pied de son figuier maudit, l'heure où il ne fait pas *trop beau pour y voir,* l'heure belle et pathétique de la mélodie du départ du poète, emportant sur la pointe des pieds ses racines dans l'exil de son poème :

> si une voilure d'ailes sauvages emporte l'île vers les nau-frages
> si le crépuscule noie l'envol déchiré d'un dernier mouchoir
> et si le cri blesse l'oiseau
> tu partiras…
> («Bois d'ébène.»)

Romantisme haïtien de la nature enfin retrouvée à l'instant même du départ en exil. Romantisme de la solitude assumée par défaut de toute noce charnelle avec l'île-femme mal aimée de trop loin. Romantisme byronien du voyage vers toute terre de liberté opprimée, du «lent chemin de Guinée» aux oliveraies d'Espagne où meurt la jeune résistante avec sur le visage «un sourire comme une grenade écrasée à coups de talon». Romantisme amoureux des si beaux poèmes d'amour de la femme et de l'île, introuvables ou perdues, sans même un éclat de lune sur le plomb de la nuit d'insomnie :

> Ma table est une île lumineuse
> dans la nuit noire de la silencieuse nuit.
> Hors un homme courbé sur ses désirs morts
> je ne suis plus rien
> la route s'arrête avec les pas du pèlerin.
> («Calme.»)

Et le poète, à l'heure indécise où il ne représente plus rien, se présente enfin nu face à son écriture et se laisse emporter jusqu'où ne peuvent plus suivre les clauses de style.

Extrême sincérité à la source de toute pure recréation. Le poète n'est plus rien mais le poème devient tout, l'amère solitude enfantant la beauté. Et la désespérance retrouve l'espoir par l'entremise de la création, la mort étant comme toujours aux Antilles, dès l'origine, à la racine d'une nouvelle vie.

Et c'est ainsi que, si Haïti est bien le pays du tiers-monde noir qui a produit le plus de dictatures, c'est aussi celui qui en un siècle depuis sa naissance a engendré le plus d'écrivains au premier rang du combat contre toute dictature. «Nègre colporteur de révolte», écrit Roumain : et en effet, contre tous les fascismes et tous les esclavages, à tous les coins des résistances et des abolitions, on trouve presque toujours depuis 1804 jusqu'à nos jours un écrivain haïtien à la barre des témoins de la justice, de New York à Madrid ; de Prague à Cuba, de Dakar à Rio. Car la littérature d'Haïti, aussi lucide que sa peinture naïve, en ses œuvres décisives, a toujours su rétablir la puissance de la fiction contre le pouvoir réel des puissants. Au-delà du témoignage, du plaidoyer ou de l'accusation : l'imagination au travail. C'est-à-dire la liberté. Comme l'annonçait Jacques Roumain dans son poème «Madrid» :

C'est ici l'espace menacé du destin…
ici que l'aube s'arrache des lambeaux de la nuit
que dans l'atroce parturition et l'humble sang anonyme du paysan et de l'ouvrier
naît le monde où sera effacée du front des hommes
la flétrissure amère de la seule égalité du désespoir.

4
Les *West Indies* :
pour « une vie sans fiction »

« Il était une fois un héros de roman, bourgeois d'ascendance hindoue, émigré de son sous-continent dans une île
lilliputienne constituée d'un "melting-pot de cultures d'emprunt" qui décida que la meilleure façon de se façonner une
identité convenant à son ascension politique à l'européenne
était d'emprunter au *Who's Who* britannique un nouveau
patronyme : de Ganesh Ramsumair à G. Ramsay Muir. »
(C'était le personnage central du roman de V. S. Naipaul,
The Mystic Masseur, publié en 1957.)

Il était une deuxième fois un héros de roman, d'ascendance paria, héritier hétéroclite des mêmes cultures de la
même île d'emprunt, qui las de jouer en solitaire de son sitar
hindou rêvait de proposer à ses frères nègres de l'île de
mêler ses solos d'Asie aux rythmes venus d'Afrique et
d'Europe, réinventés par les orchestres de steel-band (toute
une symphonie d'instruments constitués de fûts de métal
vides qui servaient auparavant de poubelles au monde
blanc), mais qui un jour prit conscience que son rêve de
métissage n'avait pas à se traduire par un melting-pot caco-
phonique : « Non ! Nous n'avons pas à fusionner tout ça en
un seul son. Je voudrais d'abord être bien à moi moi-même.
Pour commencer. Un moi-même à promener dans le monde
des autres, avec ma part d'offrande dans les mains. Nous

n'avons pas à nous réduire à un seul mélange. Sans quoi, ils ne pourront pas me voir, moi !» (C'était le personnage central du roman d'Earl Lovelace, *La Danse du Dragon,* publié en 1979.)

Il était une fois cette île : Trinidad, qui avec Sainte-Lucie, la Barbade, la Jamaïque, la Guyana, et quelques autres éparses dans l'arc caraïbe, partageait un même nom : les *West Indies,* les Indes occidentales, attribué lui aussi par une erreur d'emprunt. «C'est ici qu'une erreur guida leurs caravelles», avait dit le poète Tirolien. Et comme par une ironie du destin, les Antilles anglophones en ont gardé le souvenir dans leur appellation, devenue plus tard partiellement réalité, parce que, en raison de la présence massive du même colonisateur anglais aux Indes et aux Antilles, celles-ci ont accueilli une très forte émigration indienne après l'abolition de l'esclavage, ce qui est à l'origine d'une de leurs spécificités par rapport aux autres îles de colonisation française et espagnole. Dans les Antilles-Guyane françaises *(French West Indies),* le même phénomène s'est produit après 1848, mais c'est avec un flux moindre d'immigration à partir des possessions françaises telles Pondichéry, Colombo ou Madras, de sorte que l'expression culturelle spécifique de la minorité hindoue n'a commencé à se développer que récemment dans les années 1970. Alors que, surtout à Trinidad et à la Guyana, les descendants d'esclaves africains et les descendants de travailleurs hindous ont une égale importance dans la démographie et dans la vie sociale et culturelle, ce qui fait qu'à la relation Blanc-Noir qui a coloré ailleurs dans la Caraïbe l'évolution historique, se substitue là une relation tripartite Blanc-Noir-Asiatique. Plus encore que les autres, et un peu à l'image des îles de l'océan Indien, les Antilles anglophones sont bien des îles d'Amérique constituées par la confrontation des trois autres continents : Afrique, Europe et Asie.

Les îles principales formant cet ensemble sont beaucoup plus importantes en superficie et en population que celles qui composent les Antilles françaises, à l'exception de leurs voisines, la Dominique et Sainte-Lucie, île natale du poète Derek Walcott, et de la Barbade, île natale du romancier Georges Lamming. Trinidad, par exemple, avec son million d'habitants, a une population supérieure à elle seule à celle des Antilles-Guyane. Port of Spain, la plus métissée des capitales antillaises avec 47 % de Noirs et 35 % d'Hindous, est aussi un des grands pôles de culture de la Caraïbe, dont est originaire C. L. R. James, l'auteur des *Jacobins noirs* et l'initiateur dans les années 1930, avec les intellectuels de la revue *The Beacon* (la Balise), du mouvement culturel dont sortira la vague des romanciers contemporains tels Vidia S. Naipaul, Samuel Selvon et Andrew Pearse. La Jamaïque, au nord, un des cinq pays composant les Grandes Antilles, à côté de Cuba, Haïti, la république Dominicaine et Porto Rico, est la plus vaste île de l'ensemble anglophone, pays natal de Marcus Garvey et du grand ancêtre Claude McKay. Elle héberge l'Université des West Indies, commune à tous les États anglophones, qui joue depuis des décennies un rôle culturel de premier plan dans tout le bassin caribéen. La Guyana, prolongement continental au sud, au même titre que la Guyane pour les Antilles françaises et le Surinam pour les Antilles néerlandaises, est le troisième grand pôle culturel anglophone. C'est là que A. J. Seymour fonda la revue *Kik-Over-Al* en 1945, et que naquirent des écrivains majeurs : Edgar Mittelholzer, E. R. Braithwaite et Wilson Harris. Ainsi donc, à la plus grande diversité anthropologique, correspond aussi la plus grande diversité géographique de ces communautés dispersées du nord au sud de l'arc caraïbe.

Le double mouvement culturel qui caractérise toutes les îles de la Caraïbe, à savoir la célébration de la spécificité de chacune et l'ouverture au grand large de l'universel, se retrouve identiquement dans les Antilles anglophones mais avec une quête intermédiaire en quelque sorte : celle de la difficile cohésion entre les composantes internes de chaque île et la solidarité entre les divers pays issus de la colonisation anglaise en Amérique. Par exemple, le processus d'indépendance entamé dès la fin de la dernière guerre pour aboutir à la naissance de la plupart des États anglophones caribéens vers 1960 s'est déroulé dans la forme d'une Fédération des West Indies qui, si elle a bien fourni le cadre institutionnel des premières indépendances, a éclaté au bout d'un an, en 1961, une fois le processus réalisé. Le désenchantement devant les difficultés de l'unité politique qui caractérisa toute une intelligentsia, dont le rêve culturel caribéen ne résistait pas aux premières luttes pour le pouvoir entre les États tout neufs, explique en partie l'exil à Londres, à partir des années 1950, d'une majorité d'écrivains qui allèrent jusqu'à reconstituer en exil la fédération de leurs rêves sur le plan culturel, en créant des structures telles que le *Caribbean Artists Movement* (CAM, Mouvement des artistes de la Caraïbe), l'Association des étudiants des West Indies (WISU), des journaux et revues comme *Race Today,* des centres culturels, des librairies et maisons d'édition telles que New Beacon, fondée par le poète trinidadien John La Rose à Londres, qu'il définit comme «l'île où s'est réalisée dans les faits la Fédération des West Indies». Et ce, d'autant plus qu'une forte immigration après 1960 allait faire aussi de Londres la plus caribéenne des capitales d'Europe.

Cependant, le désenchantement politique et l'exil culturel n'empêchèrent pas que, plus encore que les autres, les écrivains anglophones furent les plus déterminés à célébrer la dimension collective du devenir culturel caribéen et qu'ils jouèrent aussi depuis le début du siècle le rôle de principaux relais entre la Caraïbe et les communautés noires des États-Unis. Là encore, le phénomène d'immigration aux États-Unis, facilité par la langue, a contribué à donner une assise sociale et démographique à ce projet culturel, alors qu'à la même époque les intellectuels francophones ne découvraient le monde négro-américain que par l'intermédiaire des poètes en exil de la génération de Langston Hughes de passage à Paris. Ainsi de Claude McKay, écrivain jamaïcain qui fut un des poètes les plus influents de la génération de la Négro-Renaissance de Harlem, à Harry Belafonte, promoteur aux États-Unis des calypsos de son enfance, jusqu'à bien des écrivains notoires d'aujourd'hui, les liens entre l'Amérique noire et les Caribéens anglophones n'ont jamais cessé de se renforcer, malgré les murs de la ségrégation et l'amertume de l'exil.

Au point même qu'un phénomène comme celui des projets de retour au continent africain a été très souvent conçu comme émanant d'une action conjointe des Noirs caribéens anglophones et des Noirs américains. C'est Marcus Garvey, un Jamaïcain, qui lança au début du siècle le mouvement *Back to Africa* prônant le retour réel en Afrique, qui eut une grande résonance surtout aux États-Unis. La naissance à Londres du mouvement panafricaniste, qui joua un rôle décisif dans l'avènement des indépendances en Afrique anglophone, fut l'œuvre conjointe de Noirs américains – au premier rang desquels W. E. B. Du Bois, fondateur de la NAACP et célèbre depuis 1903 pour son ouvrage *Âmes noires* –, d'Antillais anglophones comme les Jamaïcains Claude McKay et Georges Padmore, et de grands acteurs africains de la décolonisation et des indépendances comme le Ghanéen Kwame N'Krumah, le Kényan Jomo Kényatta, et le Nigérian Nnamdi Azikiwe.

Panafricanisme ou Communisme ? Si l'on se rappelle le

titre de cet ouvrage majeur pour la génération de la décolonisation, écrit par le Jamaïcain Georges Padmore, principal conseiller de N'Krumah, on se rendra compte d'une différence capitale entre l'appréhension de l'internationalisme chez les colonisés anglophones d'une part, et chez les francophones de la même génération d'autre part. Autant l'internationalisme des intellectuels d'Haïti, des Antilles françaises ou du Sénégal, était marqué par l'influence du marxisme et des socialismes utopiques de la fin du XIXe siècle, autant le mouvement collectif de la génération de la Négritude se donna pour premier objet l'émancipation idéologique et surtout culturelle comme étape nécessaire à la libération politique, autant en revanche, chez les colonisés anglophones, de Trinidad au Nigeria, de la Jamaïque au Ghana, l'émancipation sociale et politique était présentée comme le but premier, la question d'une identité culturelle spécifique nègre étant rarement mise en avant comme moyen de la libération. Cela dans la mesure où le système colonial anglais d'administration indirecte *(indirect rule)* n'avait pas abouti à une déstructuration des ethnies et des cultures traditionnelles aussi forte et délibérée que chez les colonisateurs français. Ces derniers visaient à tout remplacer chez leurs colonisés, de l'organisation politique traditionnelle aux structures socioculturelles, soit au nom de l'efficacité accrue de l'administration coloniale directe face aux résistances des structures indigènes, soit parfois aussi au nom des principes selon lesquels la culture d'exportation européenne devait être universellement proposée à ceux à qui ce sens unique de l'histoire avait échappé. Dans le cas anglais, le «fardeau de l'homme blanc» n'allait pas jusqu'à tenter d'élever culturellement le colonisé à la dignité de «nos ancêtres les Saxons».

À cela, enfin, il convient d'ajouter que les sociétés anglophones – du colonisateur ou du colonisé – ont été moins sensibles à l'idée de la puissance mobilisatrice de l'identité culturelle comme moteur de l'histoire, idée revenue au premier plan en France dans l'entre-deux-guerres, avec par exemple le renouveau du romantisme allemand (manifesté entre autres en France par la parution d'un célèbre numéro des *Cahiers du Sud* dirigé par Albert Béguin), l'influence de Nietzsche et le primat culturel du surréalisme, et qui a sans conteste nourri à Cuba, Haïti ou la Martinique ce que René Ménil a appelé le « romantisme antillais ». Ce qui est particulièrement évident, quand on considère la génération de Guillén et Roumain, et celle de Césaire surtout autour de la revue *Tropiques,* c'est bien la célébration de l'idée de Novalis que « toute poésie doit être légendaire et féerique » et que la connaissance poétique, reculant les limites de la connaissance scientifique et du savoir historique, est le seul moyen de dépassement de l'aliénation née de l'histoire pour de vraies retrouvailles avec son peuple et avec soi. Connaissance poétique conçue comme l'expression des jouissances collectives de l'inconscient de l'être et du monde, porteuses des violences salutaires contre les murs de rationalités historiques des États. Autrement dit, la revanche de Dionysos sur Apollon, de l'image sur le jugement, le retour de l'épique et du tragique comme ferments de révolte contre la comédie humaine et le roman bourgeois. Et tout cela n'était pas littérature puisqu'une vraie épopée tragique faisait en même temps son entrée dans l'histoire : celle des luttes bien réelles de libération pour la décolonisation de trois continents, avec, par exemple dans l'œuvre de Senghor, la même influence de la poésie et de la philosophie allemandes.

Ainsi, d'une manière générale, pour le monde colonial anglophone de la Caraïbe, en raison de sa conscience d'une « identité d'archipel » par rapport aux identités insulaires des voisins, en raison de sa relation privilégiée avec les réalités sociales et les mouvements politiques et culturels contemporains de l'Amérique noire et de l'Afrique coloniale, ainsi que des spécificités socioculturelles du rapport de l'Angleterre à ses colonisés (administration indirecte, primat de l'anthropologie sociale, émigration précoce à Londres d'intellectuels et de travailleurs), le combat culturel pour l'émancipation fut beaucoup plus perçu dans sa dimension historique, collective et réaliste que dans la dimension épique, solitaire et tragique dont la poésie de la Caraïbe francophone a donné l'image au même moment. En fait, de la Jamaïque au Kenya, la lutte de libération politique était perçue moins comme une épopée ou une révolution que comme une avancée du sens logique de l'histoire, et le discours culturel de l'identité était conçu moins comme le sentiment tragique d'une nécessaire rupture avec les expressions linguistique et littéraire imposées par l'ancien maître que comme la conscience réaliste d'une synthèse rationnelle entre les formes d'ailleurs et les contenus d'ici.

Autrement dit, à l'inverse de la quête dont rêvait Césaire du « mot de passe de la connivence et de la puissance » pour l'avenir, s'affirme chez les écrivains anglophones la volonté de se faire l'interprète de la conscience critique prête à assumer le présent : « Je rêvai que je m'éveillais avec un œil mort qui voyait et un œil vivant qui restait fermé », écrit Wilson Harris.

Une conscience critique apte à faire le portrait du présent : telle est la poétique du roman qui s'épanouit comme genre d'élection au XXᵉ siècle dans toute la Caraïbe anglophone, depuis 1903, date de la parution du premier roman jamaïcain : *Becka's Buckra Baby* de Tom Redcam.

Claude McKay est un des pères du roman réaliste négroaméricain anglophone avec *Banjo* en 1929 et *Home to Harlem* en 1928. Toute la vie d'errance d'un continent à l'autre de cet écrivain jamaïcain, né en 1890 et mort en 1948, symbolise à elle seule les rêves de recréation intime, le souci de témoignage libre et précis et les projets d'exil et d'ouverture à l'ailleurs de tous les romanciers qui l'ont suivi, aussi bien les Américains Richard Wright et Chester Himes que le Martiniquais Joseph Zobel, le Sénégalais Sembène Ousmane et la famille nombreuse des romanciers caribéens anglophones de l'après-guerre.

D'abord poète dans la langue populaire des chants jamaïcains, par souci de rompre avec l'élite des «peaux sauvées», les *better negroes* évolués, McKay fait ensuite tous les petits métiers, loin du pays natal, à la découverte du destin des Nègres dans le monde contemporain – serveur à Harlem, acteur de la Négro-Renaissance, plongeur en night-club comme Damas à Paris, garçon de wagon-restaurant et journaliste aux États-Unis, matelot pour aller jusqu'en Russie retrouver le pays natal de ses romanciers préférés et participer à la réunion de l'Internationale communiste de 1922, imprimeur à Londres, propagandiste du Panafricanisme, débardeur en Espagne et au Maroc, docker à Marseille comme Sembène Ousmane plus tard. Avec lui, le roman devient à la fois un moyen de peindre l'histoire collective des Noirs dans le monde contemporain et de résoudre par la créativité le dilemme que ce projet implique : à savoir la distance de l'exil pour mieux vagabonder en critique lucide au milieu de la variété géographique du monde noir.

Aussi le portrait de l'écrivain devient-il le sujet même de l'œuvre créée, sans complaisance narcissique, dans la mesure où pour lui le chemin est encore loin – comme dans les proses de jeunesse de Jacques Roumain – de la fuite hors du monde bourgeois inauthentique jusqu'à l'adhésion aux projets collectifs d'émancipation populaire, avec pour l'artiste la solitude comme garant de sa lucidité. De là le rôle fondamental de *Banjo* dans la littérature noire contemporaine, au-delà du monde anglophone, puisque, par exemple, dès 1932, l'unique numéro de *Légitime Défense* à Paris reproduisait à l'appui de ses thèses la traduction d'un passage où le héros noir américain dialogue à Marseille avec un étudiant martiniquais soucieux de se démarquer des dockers sénégalais :

> Vous êtes une bande perdue, vous les Noirs instruits et vous ne pourrez jamais vous retrouver que dans le retour aux profondeurs de votre peuple… Si vous étiez sincères dans votre conception de l'avancement de votre race, vous iriez chercher vos exemples chez des Blancs d'une autre catégorie. Vous étudieriez le mouvement culturel et social des Irlandais, vous abandonneriez tous ces romans européens intelligents et ennuyeux, et vous liriez, sur les paysans russes, l'histoire de leurs luttes, leur vie humble, patiente et dure. Et vous liriez aussi la vie des grands romanciers russes qui l'ont décrite jusqu'à la Révolution russe. Vous apprendriez tout ce que vous pourriez sur Gandhi et sur ce qu'il est en train de faire pour les masses populaires de l'Inde. Vous vous intéresseriez aux dialectes indigènes de l'Afrique et si vous ne les comprenez pas tous, vous vous montreriez, au moins, humbles devant leur beauté simple au lieu de les mépriser.

René Ménil l'avait indiqué avec humour dès 1945 dans un texte de la revue *Tropiques* à Fort-de-France, «Laissez passer la poésie…», «Le petit-bourgeois martiniquais ne peut pas faire un roman pour la raison bien simple qu'il est un personnage de roman.» Aussi, par quelle magie l'écrivain anglophone a-t-il pour sa part réussi à intégrer le romanesque dans des îles où, selon le critique Canner Ramchand, se déroule «une vie sans fiction», où la vie semble s'écouler sans la nouveauté des sources ni l'aventure des vagues, sans même apparemment la soif d'imaginer un autre présent que la fin des sentiers fatalement jusqu'à la mer étale ?

Tout commence à Trinidad dans les années 1930. Deux revues, là encore, *Trinidad* (deux numéros parus en 1929 et en 1930), fondée par Alfred Mendès et C. L. R. James, puis *The Beacon* (la Balise), dirigée par Albert Gomez, de 1931 à 1933, partent en guerre contre une littérature régionale de triste copie du roman anglais, où l'écrivain n'a que la seule ambition d'ajouter un frère bâtard créole à la famille Brontë.

Le réalisme avait du retard à rattraper sur le réel. Et, dans ce cas, il a eu tendance à aller à l'essentiel, aux sentiments enfouis, aux situations exacerbées, à la chair sous le masque, à la vérité des amours et des haines sous les apparences du rituel social, au-dessous des âmes simples sous les complications bourgeoises, afin que l'écrivain façonne son art avec la boue. Le naturalisme social et le populisme cru des premiers textes publiés ne laissèrent pas de faire scandale auprès des respectables jurés du littéraire, nécessitant de fréquentes mises au point du groupe des «baliseurs» trinidadiens, accusés de publier des obscénités pornographiques, alors qu'il s'agissait seulement de donner l'*imprimatur* d'une page littéraire à des portraits de paysans pauvres ou de chômeurs désœuvrés dans les rues de Port of Spain. Vidia S. Naipaul a raconté l'émotion qui l'a saisi lorsqu'il a lu pour la première fois dans une revue le nom de sa propre rue d'enfance dans une description littéraire: brusquement, le décor devenait familier, et la littérature se faisait expression accessible, et non plus l'exotique fournisseur d'altérités de neiges, de frimas, de cottages et de manoirs. La vocation littéraire de sa génération y prend sa source. Mais la réticence des élites installées dans le giron de la respectabilité culturelle sous l'œil de Londres a toujours été un obstacle majeur à l'acceptation dans le pays même de romans auxquels il arrivait d'être mieux accueillis à Londres. Par exemple, quand la très importante revue de l'Université des West Indies: *Carribean Quarterly,* consacra un numéro entier à «La vie populaire aux Antilles», avec des articles sur le langage populaire, le folklore, ou encore l'autobiographie d'un prêtre de la secte des «shooters» dont les rites étaient prohibés officiellement, elle dut s'en expliquer dans un éditorial de janvier 1953 en forme de mot d'excuse qui, à lui seul, démontre la difficulté de la tâche de l'écrivain vis-à-vis des membres de sa communauté, les seuls capables justement de le lire:

> Les thèmes dominants de ces articles seront critiqués par beaucoup d'Antillais qui penseront qu'ils éclairent des points sombres de la vie caribéenne qu'on ferait mieux d'oublier, c'est-à-dire le «mauvais anglais» et le «mauvais français», des superstitions crues, un passé lié à l'Afrique. Ces sceptiques se demandent si la tentative pour réévaluer les éléments issus de «l'Homme du commun» aux Antilles durant les cent vingt dernières années est compatible avec l'élan vers les lumières et le progrès dans les sciences, les techniques, et la chose publique.

En fait, c'est bien à une double tâche que doit s'atteler le romancier: écrire, c'est-à-dire promener son miroir le long du chemin, mais aussi apprendre à son lecteur à se regarder tel quel dans un miroir.

Après la courte et décisive apparition de *Trinidad* et de *The Beacon,* trois grandes revues prirent le relais pour relever ce double défi: *Bim,* à la Barbade en 1942, *Focus* à la Jamaïque en 1943, et *Kik-Over-Al* en Guyana en 1945. L'effondrement des puissances coloniales dans l'Europe en guerre, le développement des solidarités des colonisés nègres en Amérique et dans le mouvement panafricaniste, tout cela explique que ces mouvements culturels ont surgi dans un climat de grande vitalité nationaliste et identitaire.

Focus et *Kik-Over-Al* surtout ont lié dès l'origine émancipation politique et affirmation culturelle. *Kik-Over-Al* fut créé à Georgetown en Guyana en décembre 1945 par Arthur J. Seymour, l'un des intellectuels les plus importants de la Caraïbe, fondateur en même temps de l'Association des écrivains de Guyana. La revue prit le nom d'un fort hollandais en ruine qui surplombait les eaux des trois fleuves Essequibo, Mazaruni et Cuyuni. Titre-symbole de l'enracinement dans la géographie des Nègres marrons et des Amérindiens, du dépassement de la domination européenne par la force du nationalisme, et de l'ouverture au-delà de la seule Guyana jusqu'aux autres peuples à atteindre par les sentiers des fleuves et de la mer.

À la différence des Antilles françaises, le projet nationaliste était chaque fois bien enraciné dans la géographie particulière de chaque société – Jamaïque, Trinidad, Guyana –, et le projet internationaliste d'abord circonscrit à l'idée de fédération entre des îles perçues dès l'après-guerre comme de futurs États particuliers. L'idée fédérale, très vivace dans la tradition politique anglophone, apparaissait comme la solution au dilemme entre nationalisme et internationalisme, entre indépendance et universalisme, dilemme que les anglophones ont toujours vécu plus sereinement que leurs voisins francophones, d'Afrique et des Antilles. C'est par exemple avec la même sérénité que ces intellectuels nationalistes vivaient leur enracinement politique sur une terre unique qui leur fut propre, tout comme leur intégration culturelle dans le grand tout des formes de culture imposées par l'Angleterre, ainsi que leur expression identitaire dans les formes d'une littérature anglaise parfois des plus traditionnelles dont ils revendiquaient la filiation, alors que la nouvelle génération des poètes francophones haïtiens ou martiniquais, en révolte contre leurs ancêtres parnassiens, ne revendiquait de l'héritage européen que la part maudite des poètes révoltés et des mal-aimés « las de ce monde ancien ». « Nous disons bien clairement que nous sommes culturellement enracinés sur le sol européen… *l'accident de l'immigration forcée aux Caraïbes* nous a isolés du mouvement de déclin de la civilisation européenne, ce qui nous rend plus aptes à en reprendre le flambeau et à l'élever au plus haut. » (A. J. Seymour, *Kik-Over-Al,* 1948.)

Équilibre difficile à tenir et qui exprime sa force de conviction. *Kik* vit le jour avec les grands espoirs de l'après-guerre, contribua à la naissance de l'État guyanais, et mourut des suites de l'échec de la Fédération. Équilibre littéraire tout aussi difficile qui dote d'une créativité tragique le travail d'adéquation entre « formes antiques » et « pensers nouveaux ». Arthur Seymour, poète lui-même et non romancier, le manifeste bien au travers de son œuvre, tel son poème épique, *Christophe Colomb et la Légende de Kariétur,* où l'ornementation classique de la forme de l'épopée sert de décor au portrait d'un homme neuf, un héros créateur de monde qui ne peut que faire éclater ce cadre pour respirer à la hauteur du mythe du pays à faire naître. Dans le conflit fondamental entre le poète démiurge, Prométhée briseur des prudences de l'histoire et des alliances réalistes, et le romancier attaché à bâtir loin des rêves une pratique morale collective pour la nation, l'œuvre ne peut sourdre du magma de ces contradictions que si une lave formelle emporte les racines vers des renaissances poétiques imprévues et solitaires, ou que si le créateur, récusant l'orgueil prométhéen de Gulliver et de Robinson, se fait l'historiographe attentif des Vendredis et des Lilliputiens en gestation collective de nation. C'est par exemple la volonté de poser cette contradiction dans l'œuvre de création qui explique aussi le passage des poètes Roumain et Césaire au roman pour l'un et au théâtre pour l'autre, deux formes littéraires qui mêlent les portraits à la fois de l'arbre et de la forêt, du réel et du rêve, du politique et de l'épique, du quotidien et de l'héroïque, soit sous la forme du roman quasi allégorique représenté par *Gouverneurs de la rosée* de Roumain, soit sous la forme du théâtre héroïque dans la lignée de la tragédie grecque, représenté par les quatre pièces de Césaire, à travers les quatre figures du Rebelle, du roi Christophe, de Lumumba et de Caliban. Aux Antilles anglophones, le grand poète Derek Walcott de Sainte-Lucie a bien su traduire dès ses premiers poèmes des années 1950 ce conflit originel entre la ferveur du poète et l'option majoritaire des romanciers de sa génération : suivre au plus près le rythme des paresses et des bonaces du présent caribéen tel qu'on le découvre dans son premier recueil, *In a Green Night* :

… Point de temples, pourtant fruits d'intelligence
Point de racines, pourtant fleurs d'identité
Point de villes, mais des eaux blanchies au soleil
Les rires et les colombes d'une jeune Italie.

Pourtant, la quête du moi est toujours si ardue
Et pour le nous surtout, d'exaltation inutile et creuse parfois
Tout comme le ciel, cette pâle aiguière bleue
Jamais si beau qu'au temps de sécheresse.
(Derek Walcott, *In a Green Night,* traduction D. M.)

La revue *Bim,* dont le nom signifie « natif de la Barbade », fondée par Frank Collymore en 1942, a joué durablement un très grand rôle pour faire connaître les écrivains de Trinidad, de Jamaïque, de Guyana, de Sainte-Lucie et de la Barbade elle-même. Poésie, nouvelles, extraits de romans et articles de fond se partageaient l'espace de la revue qui paraissait deux fois par an, donnant à lire tout ce qui auparavant semblait aux lecteurs indigne de l'écriture et de la publication : l'oralité, la vie paysanne, le tumulte urbain de

Kingston et Port of Spain, le carnaval, les traditions religieuses et culturelles venues d'Afrique, la musique du
calypso. Et cela toujours dans le même climat d'étroite et
libre relation avec la littérature anglaise, même après les
indépendances des années 1960. C'est par exemple en ces
termes que le codirecteur de *Bim,* A. N. Forde, saluait en
1963 la parution du premier recueil de poésie de Derek Walcott, *In a Green Night,* dans un article où l'on retrouve
presque la même formule que *Kik-Over-Al* employait en
1948 sur l'*accident* historique qui a fondé la Caraïbe :

C'est un événement capital pour la littérature antillaise.
L'accident d'être né antillais n'a rien à voir avec la chose.
Walcott est un poète situé entièrement dans la tradition
anglaise. Et il ne peut en être autrement. Une poésie
antillaise naîtra seulement quand nous atteindrons le respect de nous-mêmes, qui vient avec la pratique, et en nous
sentant les égaux, par la sensibilité et les buts recherchés,
de tous les autres poètes pratiquant la langue anglaise.

Dans le domaine de la prose, les nombreuses nouvelles
publiées par *Bim* reflètent bien la prééminence de ce genre
littéraire dans les Antilles anglophones depuis 1945, en particulier grâce au choc culturel engendré par une émission
hebdomadaire de la BBC, *Carribean Voices* réalisée à
Londres par Henry Swanzy, considéré pour cela comme un
des « pères » du roman caribéen anglophone, en dépit du fait
qu'il n'avait jamais séjourné dans les îles dont cette littérature est issue. La plupart des écrivains contemporains ont en
effet commencé par écrire des nouvelles pour cette émission
très écoutée qui joua aussi un double rôle : populariser
– mieux encore que les revues culturelles plus confiden-
tielles – tous ces récits qui prenaient pour la première fois
comme sujet les aspects de la vie locale, et aussi faire

connaître leurs auteurs en Angleterre même, dont la plupart émigrèrent à Londres dans l'après-guerre, en ayant moins l'impression de partir en exil que d'aller retrouver une famille littéraire d'accueil. Dès 1949, Edgar Mittelholzer arriva à Londres, suivi de George Lamming et Samuel Selvon, puis de A. J. Seymour et Roger Mais. Vidia S. Naipaul s'y installa définitivement en 1953, et remplaça d'ailleurs Henry Swanzy à la direction de l'émission *Carribean Voices*. Dès la fin des années 1950, plus de cinquante romans caribéens avaient été publiés à Londres, devenue ainsi la capitale de cette nouvelle littérature. Des écrivains comme Eric Roach, George Campbell et Andrew Salkey ont produit des programmes antillais à la BBC. D'autres, artistes, acteurs et hommes de théâtre comme Errol John, Barry Reckford, Errol Hill, participaient pleinement à la vie théâtrale. Le *Carribean Artist Movement* coordonnait les activités culturelles antillaises dans tous les domaines. Et l'éloignement de la Caraïbe de tant de ces écrivains n'eut jamais pour conséquence de réduire leur vitalité créatrice, comme si la distance géographique s'harmonisait avec la nécessaire distance critique qu'ils préconisaient tous pour le romancier.

Aussi bien, cette distance critique apparaît dans la plupart des textes proposés par *Bim* durant trois décennies. Dans les récits de la vie populaire, qui constituaient le sujet d'environ la moitié des textes de prose, la vision critique est très souvent prise en charge par le regard d'un enfant comme dans *Miguel Street,* le premier roman de V. S. Naipaul, comme si, dans ces petites sociétés coloniales saturées des regards de l'Autre, maître ou frère ennemi, cause principale des postures et des conflits, seul encore l'œil de l'enfant pouvait permettre de retrouver ce délicat mélange de lucidité et de naïveté, de curiosité émerveillée et de désenchantement critique qui est à la source de l'art du romancier, comme le montre aussi *La Rue Cases-Nègres,* écrit à la même époque par le Martiniquais Joseph Zobel.

En revanche, dans les autres récits, qui ont pour sujet essentiellement les classes moyennes, l'écrivain qui lui-même en est issu n'a aucun mal à exercer cette distance critique face à une société petite-bourgeoise égoïste et inauthentique, assimilatrice des modes de l'étranger. Seule la célébration du sentiment national, de l'identité collective à naître empêche le récit de tomber dans le portrait de solitudes désespérées, dans des pays neufs «encore trop jeunes pour la désillusion», comme le notait le poète Mervyn Morris. Et cette littérature où dominent ironie critique et humour lucide se veut aussi éloignée du sarcasme hautain et de la tour d'ivoire.

Vision commune à presque tous ces écrivains de la Caraïbe anglophone qui, en somme, au nom de l'avenir qu'ils s'engagent à imaginer, tâchent de transformer ce qu'ils ont souvent appelé l'*accident Caraïbe* en un destin collectivement assumé.

5

Les Antilles et la génération d'Aimé Césaire :
la dissidence des lucioles

À la Guadeloupe, à la Martinique et en Guyane, c'est dès l'origine que la littérature moderne a voulu répondre au double souci de s'épanouir formellement dans le cadre des traditions culturelles européennes et de célébrer au fond sa connivence identitaire avec les résistances locales au paradis des opprimés. Comme l'écrivait le poète romantique créole Nicolas-Germain Léonard :

> À force de travaux, de peines, de supplices,
> On leur fait un enfer en ces lieux de délices.

Ainsi s'est développée, depuis la fin du XVIIIe siècle jusqu'aux années 1920, une tradition poétique et romanesque attachée à imposer à l'Europe la reconnaissance de son expression littéraire, légitime esthétique de la résistance au statut de sauvage inhumanité. Le paradoxe est que le déni de cette condition passa par l'oubli littéraire de sa représentation : presque jamais les premiers poètes antillais ne firent le tableau de la condition inhumaine de l'humanité antillaise, silencieux décor humain occulté par le portrait du seul paysage vivant au tout premier plan. « Un seul être me manque et tout est dépeuplé » : foisonnant paysage désertifié par le déni d'amour et d'humanité aux Adam et Ève noirs esclaves des maîtres et de Dieu. Et ce vers du poète guadeloupéen

Léonard devenu célèbre à son époque par l'«emprunt» qu'en a fait Lamartine résume bien ce thème récurrent, jusqu'aux premiers vers d'*Éloges* du jeune Saint-John Perse :

> … Et je n'ai pas connu toutes leurs voix, et je n'ai pas connu toutes les femmes, tous les hommes qui servaient dans la haute
> demeure de bois
> mais pour longtemps encore j'ai mémoire des faces insonores, couleur de papaye et d'ennui, qui s'arrêtaient derrière nos chaises comme des astres morts.

La dénonciation de l'enfer de la condition historique le céda au portrait d'un paradis sans hommes, le pays bien caché derrière le paysage, pour la célébration de l'absolue solitude du poète perdu entre le foisonnement de sa géographie et le refus d'hériter toute responsabilité de l'histoire. À l'inverse du programme romantique de solidarité militante et de glorification des connivences nocturnes entre la nature et l'opprimé, le poète antillais du début du XXe siècle s'attacha d'abord à se brûler les yeux au soleil de midi pour mieux aveugler les souvenirs du désastre d'*astres morts* et planter pour demain le décor des jours meilleurs. Par nature romantique, il s'imposa d'être parnassien, plus soucieux de présenter aux regards d'Europe sa maîtrise de la langue et de l'excessif décor de «l'inutile paradis» que de *rémunérer le défaut* de son langage et de son humanité :

> Midi ! L'air qui flamboie, et brûle, et se consume
> Verse à nos faibles yeux l'implacable clarté
> (G. de Chambertrand.)

> Cassiers et flamboyants sont en fleurs, c'est le mois
> Où brûle la lumière éclatante des îles
> (Daniel Thaly.)

171

Rien n'a changé pourtant de ce décor magique
Qui montre à la tristesse un visage fidèle…
Rien n'a changé que toi, pauvre cœur qui naguère
Égalais ton désir à l'infini du monde.
(Emmanuel Flavia-Léopold.)

Attachés à la description du *paradis raté* offert à leur nostalgique contemplation, ils ont bâti un paysage d'île déserte pour mieux dépasser le cauchemar historique des saisons d'enfer. Mais, ce faisant, ils ont offert à leurs héritiers, la génération de Césaire et Damas, un trésor révélé d'images, échappées au regard exotique pour colorer les cahiers du pays natal et pigmenter les névralgies, proposant en héritage littéraire une véritable *géographie cordiale* qui n'attendait que l'arrivée des Orphées noirs pour que soit transformée la terre maudite en terre d'accueil promise à l'enracinement des Antillais.

C'est alors que dans les années 1930 l'éclat nocturne des lucioles prit la relève des soleils trop las.

Marier la lumière du jour aux ombres de l'histoire, tel fut le programme de la revue *Lucioles,* née à la Martinique en 1927, inaugurée par le texte-manifeste du poète Gilbert Gratiant, véritable initiateur d'une poétique de l'identité, avec son *Credo des sang-mêlé* :

Que voulons-nous encore ? Malgré l'effort rouge de la Lumière, l'Occident en demeure le tombeau. «Lucioles» des lettres, riches de la pensée d'un proche-Occident, riches aussi de l'effort martiniquais, nos feuillets emporteront poèmes et chants, critiques, études et contes dans le crépuscule cendré de nos Antilles. Nous connaîtra qui veut s'arracher soi-même à sa vie et s'évader un moment de la prison des jours.

Pour s'évader aussi de la prison des mots, il a fallu imaginer le langage neuf d'un inédit « Credo ». Ce sera l'œuvre de la génération suivante, avec les poètes Aimé Césaire et Léon-Gontran Damas, deux élèves de Gratiant au lycée de Fort-de-France, qui postuleront le primat d'une poétique de l'identité sur le discours identitaire, pour mieux rendre compte de l'évidence de la réalité sociale, anthropologique et culturelle des Antilles ; en héritiers aussi du Rimbaud du *Livre nègre* et de Mallarmé.

> Le temps du refoulement et des inhibitions a fait place à un autre âge : celui où l'homme colonisé prend conscience de ses droits et ses devoirs d'écrivain, de romancier ou de conteur, d'essayiste ou de poète.
>
> Poésie nouvelle qui laisse à soi-même crever de sa belle mort la poésie de la couleur locale, la poésie créole faite de mignardises.
>
> Pour avoir rompu avec le verbalisme romantique, la théorie de l'art pour l'art, l'impassibilité commode des parnassiens, les désirs troubles du symbolisme, elle atteste maintenant la préoccupation d'être plus près de la vie, d'approfondir davantage le sens de l'évolution des pays et des peuples opprimés, de scruter d'un regard plus ouvert et fraternel le visage de l'humanité.

Dans ce texte capital de 1947, préface à la toute première anthologie francophone, *Poètes d'expression française,* dont il était l'auteur, le grand poète d'origine guyanaise Léon-Gontran Damas présente le programme poétique que s'appliquait alors à réaliser, depuis une décennie, une nouvelle génération née dans la Caraïbe francophone, dans la lignée des aînés de Harlem, Cuba et Haïti, enrichie des débats parisiens de *Légitime Défense* et de *L'Étudiant noir*. Parmi eux :

les poètes guadeloupéens Guy Tirolien et Paul Niger, le Guyanais Léon-Gontran Damas, auteur dès 1937 de *Pigments,* le premier grand recueil de cette génération ; et puis Aimé Césaire, de retour au pays natal de Martinique, fondateur avec René Ménil et Suzanne Césaire de la revue *Tropiques,* la plus importante revue littéraire des Antilles, malgré sa diffusion et sa durée limitées par les circonstances : quatorze petits numéros publiés à Fort-de-France, en dissidence culturelle de 1941 à 1943.

L'occupation pétainiste des Antilles et de la Guyane, de 1939 à leur libération en 1943, fut à l'origine d'une grande flambée politique et culturelle qui détermina durablement leur destin contemporain. À l'époque du « Temps Saurin » à la Guadeloupe, et du « Temps de l'amiral Robert » à la Martinique – du nom des deux gouverneurs délégués par le pouvoir pétainiste de Vichy –, l'ombre fasciste s'étend sur la population des îles investies par les fusiliers marins qui imposent l'ordre uniforme blanc à coups de décrets d'épuration, d'internement, de déportation en Guyane, de salut au drapeau obligatoire, de défilés d'écoliers de blanc vêtus chantant *Maréchal, nous voilà.* Le pouvoir des colons békés blancs-pays revient en force. Les membres de la classe politique noire sont révoqués de leurs fonctions électives. Tout ce qui a l'autorisation de se dire ou de s'écrire ne célèbre que le culte de la France, à laquelle les Antilles sont par force totalement assimilées : « Français, tous, nous sommes avant tout (Noirs, Blancs et autres) frères en la patrie, notre mère, car nous ne sommes après tout que les perpétuels élèves de notre bonne métropole. » En 1942, un échantillon du sol de chaque commune est expédié à Gergovie, capitale de « nos ancêtres les Gaulois ». Et l'heure aux Antilles est alignée par décret sur les changements d'heure d'été et d'hiver de la mère patrie.

Mais si l'oppression peut écraser la parole, elle ne peut

rien contre la circulation nocturne des silences complices de la résistance, qui prendra aux Antilles le nom de *dissidence,* par quoi l'on nomme les actes des quelque dix mille Antillais échappés en canot vers les îles anglaises de Dominique et Sainte-Lucie, première étape avant de rejoindre *via* New York les résistances d'Europe ou la Résistance africaine du gouverneur antillais Félix Éboué; colonisés voguant au secours de leurs colonisateurs sous la tempête, alliés désaliénés lucidement mobilisés contre le mal absolu du moment, dans l'espoir que la défaite du nazisme entraînera l'agonie de toute colonisation.

Les milliers de dissidents de ces années 1940 en Guadeloupe, Martinique et Guyane sont comme des Calibans en marronnage, sauf qu'à défaut d'un espace géographique de fuite, ils investirent l'histoire, s'engagèrent à la transformation de l'ici et du maintenant, sur le modèle cette fois de la lutte de libération de leurs ancêtres esclaves qui, un siècle auparavant, avant l'heure d'arrivée retardée du décret officiel du 27 avril 1848, imposèrent dans l'espace même des ateliers et de la ville-capitale la signature immédiate, par le gouverneur, de l'abolition qu'ils avaient eux-mêmes décrétée : le 22 mai 1848 à Saint-Pierre, le 27 mai à Basse-Terre, et le 10 juin à Cayenne.

En raison du blocus des îles par les alliés anglais et américains, on ne trouvait plus guère de livres, d'encre ni de cahiers. Pourtant, au plus bas de la fosse, voici que ressurgit le temps des signaux de révolte de la poésie, même composée sur des enveloppes retournées ; des plaquettes, même éditées après censure par l'imprimerie officielle du gouvernement. Dans les îles prisonnières refleurirent comme jamais des poèmes de résistance sous les masques du bucolisme ou de l'obscurité surréaliste, l'engagement bien caché derrière l'ésotérisme ; des contes populaires où le rire révélait le message de lutte ; des chansons anciennes et des musiques neuves, vieilles biguines à double sens et jazz nègre des « *Victory Discs* » des forces armées américaines clandestinement importés des États-Unis. La créativité en armes sur les îles-désirades, en apparence plus frêles que les sous-marins allemands en sentinelles devant la rade. Le déferlement victorieux du nazisme dans le monde, loin d'inciter les Antillais à se faire oublier dans leur petit coin de paradis, attise au contraire le sentiment naturel d'une responsabilité universellement partagée, insulaires fièrement prêts à débarquer en brigades décolonisées au secours du continent nazifié, comme l'annonce l'ouverture par Aimé Césaire du premier numéro de *Tropiques* :

> Où que nous regardions l'ombre gagne. L'un après l'autre, les foyers s'éteignent. Le cercle d'ombre se resserre, parmi des cris d'hommes et des hurlements de fauves. Pourtant nous sommes de ceux qui disent *non* à l'ombre. Nous savons que le salut du monde dépend de nous aussi.

L'ombre avait de nouveau gagné, faite de « pensée défunte » comme Gratiant l'avait décrite quatorze ans plus tôt dans son propre manifeste, prévoyant aussi le réveil des lucioles dans la nuit des soleils assassinés. Et de nouveau la résistance antillaise postula comme à l'origine l'alliance des combattants au-delà des frontières des races et des États.

C'est ainsi que parmi des milliers d'autres le tout jeune Frantz Fanon s'embarqua de nuit avec des lycéens de Fort-de-France, élèves du couple Césaire et de Ménil, *via* l'île anglaise de Sainte-Lucie, pour rejoindre en Europe la résistance, héritiers des « damnés de la terre » voguant libres de toute servitude, un drapeau noir flottant sur le canot du passeur.

Mais pourtant, il semble encore à cette heure que pour cette génération tout est dépeuplé parce qu'un peuple lui manque, qu'elle n'aperçoit toujours que « comme des astres morts ». Aussi la parole des élites se pose-t-elle souvent ici en substitut au mutisme collectif, conçu comme signe d'aliénation collective d'une « foule qui ne sait pas faire foule... quelques milliers de pestiférés qui tournent en rond dans la calebasse d'une île », ceux dont parle en 1939 le jeune poète Césaire que l'exil à Paris rend sourd au cri de son pays natal, et qui s'interroge sur l'inertie de la foule, apparemment incapable de transcender sa révolte sourde en conscience affirmée au grand jour.

Ce silence entendu est à la source de bien des incompréhensions des mouvements populaires aux Antilles, car il est souvent assimilé à l'absence de conscience collective, ciment de toute communauté. Thème que l'on retrouve justement chez Césaire dans le texte de présentation qu'il écrivit pour *Tropiques* en 1941, une fois opéré le retour au pays :

> Point de ville. Point d'art. Point de poésie. Pas un germe. Pas une pousse. Ou bien la lèpre hideuse des contrefaçons. En vérité, terre stérile et muette...
> Mais il n'est plus temps de parasiter le monde. C'est de le sauver plutôt qu'il s'agit. Il est temps de se ceindre les reins comme un vaillant homme.

Pourtant, il est évident qu'une telle stérilité, un tel mutisme n'auraient pas pu donner naissance à une éclosion littéraire aussi foisonnante de talents comme ceux révélés par la revue elle-même et par les mouvements culturels et politiques qu'elle a initiés. Et c'est bien le souvenir du geste traditionnel des femmes vaillantes nouant leur carré de madras à la taille avant d'aller aux champs pour amarrer les cannes à sucre coupées qui modèle pour le poète l'image finale de son appel. À la recherche des expressions de l'identité antillaise, les Antillais de la génération de *Tropiques* en découvrirent toute la vitalité méconnue, comme le note Suzanne Césaire dans ce même premier numéro :

> Il est maintenant urgent d'oser se connaître soi-même, d'oser s'avouer ce qu'on est, d'oser se demander ce qu'on veut être. Ici aussi des hommes naissent, vivent et meurent. Ici aussi se joue le drame entier... Il est temps de se ceindre les reins comme un vaillant homme.

Même conclusion, chez Aimé comme chez Suzanne Césaire, à cette différence près que, chez Suzanne, le *je* solitaire du poète face au mutisme a déjà cédé la place au *nous*. La femme à l'écoute de son peuple trop mal entendu sait combien, en vérité, il joue comme tout autre peuple à la vie contre la mort, mais en cachant bien son jeu, comme tout beau joueur habitué à subir l'assaut des tricheurs. Comme l'écrivait aussi René Ménil, toujours dans ce même premier numéro : « Jusqu'ici ceux qui ont parlé ne se sont pas exprimés, et ceux qui avaient quelque chose à dire se sont trouvés sans voix. »

Additionnant les élans d'Ariel et les refus de Caliban, l'époque de la Dissidence fut un moment de grande maturation politique et culturelle : organisation de forces politiques radicales, mise en place d'une double stratégie d'investissement des pouvoirs locaux et de liaison avec les mouvements internationalistes ; « retour au pays natal » d'intellectuels et enracinement de la génération de la Négritude dans l'espace antillais, en liaison solidaire avec les mouvements de résistance d'Afrique, d'Amérique et d'Europe, liaison entre l'engagement politique et l'action culturelle (Césaire et Damas seront élus députés après la guerre) ; découverte *via* l'ethnologie des sociétés africaines traditionnelles ; travaux sur l'histoire, sur les pratiques populaires, chants et contes des *Veillées noires* traduits par exemple par Damas ; ouverture à toutes les formes littéraires contemporaines, pourvu que celles-ci manifestent « le déploiement de la protestation », comme le disait André Breton de passage en Martinique juste en ce moment fondateur.

L'importance décisive de la Dissidence tient au fait que, paradoxalement, alors que des décennies de programmes assimilationnistes aboutissaient en 1946 au statut de départements français pour les « quatre vieilles » colonies de Guadeloupe, Guyane, Martinique et Réunion, elle manifestait l'expression clairement affirmée d'une conscience culturelle et sociale antillaise proprement anti-assimilationniste, affichant son identité spécifique. Ainsi, quel que soit le jugement positif ou négatif que l'on peut avoir aujourd'hui sur le processus historique de la départementalisation, la revendication d'égalité sociale et politique portée par les élites politiques et culturelles des Antilles après les années de la Dissidence n'était absolument pas pour elles l'aboutissement victorieux du processus d'aliénation coloniale méthodiquement acharné à tuer dans l'œuf l'éclosion de peuples ou à combattre la conscience de leur avènement. Elle tirait toute sa force au contraire d'une conscience claire de la défaite de l'assimilationnisme programmé, de l'affirmation d'une altérité socioculturelle érigeant les colonisés en peuples par le processus même de résistance à l'État colonial ; et d'une confiance en l'identité antillaise, postulant sa puissance et son enracinement sans les lier directement à une revendication d'indépendance politique qui pouvait pourtant en apparaître la plus sûre garante sous la forme d'États constitués.

De la recherche angoissée d'un peuple enfoui, parasite en sa *terre muette* et stérile, à la découverte vivifiante d'un peuple, *bloc homogène* éclos de *volonté puissante,* les très riches heures politiques et culturelles des quatre années de la Dissidence aux Antilles, de 1939 à 1943, en expliquent le cheminement, attesté par la fécondité des domaines explorés par les jeunes intellectuels de la revue *Tropiques.*

Exploration du folklore de la botanique, de l'ethnologie et de l'histoire populaires. Publication de contes créoles ; de devinettes et de proverbes des veillées cric et crac ; de contes cubains retranscrits par Lydia Cabrera ; du *Conte colibri* recueilli à la fin du XIXe siècle par Lafcadio Hearn. Exploration littéraire de l'environnement des Amériques noires du Nord et du Sud et de la Caraïbe, en dialogue avec Alejo Carpentier, Wifredo Lam et Nicolás Guillén à Cuba ; Claude McKay à la Jamaïque ; les aînés de la Négro-Renaissance de Harlem ; les jeunes poètes de la revue *Viernes* au Venezuela ; et la nouvelle génération haïtienne des fils de Price-Mars autour des revues *La Trouée* et *Les Griots.* Avec en partage le rejet de toute forme d'exotisme, de primitivisme et de négrisme, qui fit florès notamment chez leurs aînés de Cuba, Haïti et Porto Rico.

C'est que les contacts étroits établis dans le Paris noir de l'entre-deux-guerres avec les courants d'avant-garde de l'art et de la pensée préservent ces intellectuels des accès d'anti-rationalisme et d'anti-occidentalisme qu'on pouvait retrouver vingt ans auparavant chez nombre de poètes, notamment blancs créoles, des Antilles et des îles hispanophones de Cuba, Saint-Domingue et Porto Rico, du *Negrismo* de Palès Matos à l'indigénisme haïtien. En témoigne la place de choix accordée dans *Tropiques* à Mallarmé, Lautréamont, Rimbaud, et tout particulièrement à André Breton, qui rencontra Césaire et ses amis lors de son escale à la Martinique en 1940 sur le chemin de l'exil à New York. Escale d'im-

portance majeure, de découverte par Breton de l'enracinement profond de la poésie nouvelle antillaise dans le surréalisme de ses paysages et de son histoire, loin de toute soumission assimilationniste à une doctrine à la mode de Paris.
Et il en sera de même lorsque Breton, à la fin de la guerre,
séjournant un temps à Haïti, suscitera l'enthousiasme des
jeunes poètes révolutionnaires de la génération de Depestre
sans que jamais la ferveur des échanges soit le signe d'une
dépendance de maître à disciples. Sûrs de leur identité poétique tout en se voulant *poreux à tous les souffles du monde,*
les jeunes poètes de Fort-de-France et de Port-au-Prince
fraternisent sans réticence avec les libertés cousines des
avant-gardes européennes, qu'elles soient politiques ou
artistiques, en raison même de tout ce qu'ils se remémorent
des résistances esclaves, et de ce qu'ils sentent en eux de
fidélité pour la nature source de liberté baroque. En sorte
que c'est Breton lui-même qui, en escaladant la montagne
Pelée avec Ménil et les Césaire, s'émerveille, dans son *Dialogue créole* avec André Masson (republié dans *Martinique,
charmeuse de serpents*, Pauvert, 1972), d'y voir confortée
la liberté éruptive de sa doctrine et de son imagination:

> – [...] On finira par s'apercevoir que les paysages surréa-
> listes sont les moins arbitraires. Il est fatal qu'ils trouvent
> leur résolution dans ces pays où la nature n'a été en rien
> maîtrisée. Certains d'une manière délibérée ont quitté l'Eu-
> rope pour cette seule raison...
> – Exotisme, dira-t-on en mauvaise part, exotisme et voilà
> le grand mot lâché. Mais qu'entendre par exotisme? La
> terre tout entière nous appartient. Ce n'est pas une raison
> parce que je suis né à proximité d'un saule pleureur que je
> doive vouer mon expression à cet attachement un peu
> court.
> (*Tropiques,* 1941.)

– Je nous reverrai toujours de très haut penchés à nous perdre sur le gouffre d'Absalon comme sur la matérialisation même du creuset où s'élaborent les images poétiques quand elles sont de force à secouer les mondes… C'est là que la mission assignée de nos jours à l'homme de rompre violemment avec les modes de penser et de sentir qui l'ont mené à ne plus pouvoir supporter son existence m'est apparue vraiment sous sa forme imprescriptible.
(*Tropiques,* 1944.)

Dès ce premier contact, Breton avait bien perçu que ce qui enracine et légitime le projet du poète antillais : concevoir une poésie à la hauteur de cet univers, comme aussi un pays à la hauteur de ce paysage d'accueil, c'est fondamentalement la fréquentation méticuleuse du paysage de son pays, des traces touffues autour de son volcan jusqu'au grand air des points de vue sur les îles voisines, avec la distinction fine des variétés des saisons de Carême et d'hivernage, la précision botanique, l'acuité topographique ; donnant chair et âme aux identifications du poète entre torpeur et grand vent, entre lave et laminaire, entre écume et mangrove, entre raque et nuée ardente, pour enfin pouvoir *aimer et mourir au pays qui lui ressemble*. En somme, le poète antillais a trouvé sous ses pieds, dans ses racines, ce que Baudelaire avec son *amour fou,* Rimbaud avec son *invitation au voyage* et Breton avec ses *illuminations* cherchaient passionnément à enraciner en eux : l'échappée en *révoltes logiques* aux déraisons de l'Occident, l'exploration en bateau ivre, au-delà des flaches froides, de toute la chair des nouveaux mondes.

« À la fin tu es las de ce monde ancien », avait avoué Apollinaire, rêvant à la poursuite des voyages de Rimbaud en Abyssinie et de Baudelaire dans l'océan Indien : trois passagers du retour de « ces vaisseaux qui viennent du bout du monde », manifestant dans leur vie et leur œuvre leur impossibilité de débarquer là-bas aux pays qui ne leur *ressemblent* plus. *Ici,* l'irrationalité baroque et surréelle de la nature caribéenne enracine et authentifie le *surréalisme naturel* des poètes de la région, qui échappent aux «rationalités lasses» d'Europe, sans le truchement du voyage vers l'ailleurs ni de l'écriture automatique qui ne feraient que les éloigner de la découverte et de la célébration de leur monde nouveau. Il ne s'agit donc pas pour cette génération d'écrivains de recréer un rapport exotique de maître à disciple, mais de convenir d'un naturel cousinage esthétique avec les écrivains européens, à l'avant-garde de leur autocritique. Et ce d'autant plus qu'ils redécouvrent en même temps le naturel du cousinage avec un autre *monde ancien*: l'Afrique, qu'ils ne seront jamais las de célébrer, à contre-courant des élites bourgeoises assimilationnistes de ces années 1940, partagées entre l'oubli ou le mépris des racines africaines de leur identité:

> En remontant l'une de nos lignes de force nous rencontrons cette chose immense: l'Afrique… Notre tâche n'est-elle pas d'atteindre notre humanité totale? Nous ne pouvons l'atteindre, croyons-nous – que les imbéciles et les lâches n'attendent ici aucune concession de notre part – que par l'expression, grâce aux précieuses techniques européennes, de tout ce que notre négritude comporte d'exigences.
> (*Tropiques,* n° 5, 1942.)

Cet extrait qui contient la seule occurrence du mot *négritude* dans la revue montre bien comment la notion même de négritude est indissociable du refus de toute nostalgie pour l'origine africaine perdue. Pour les passagers de l'*aller simple,* l'Afrique perdue n'est ni un enfer ni un paradis, elle est le *passé originel,* dont le métissage caribéen doit aussi faire son miel, comme le précise encore Suzanne Césaire dans son bel article «Malaise d'une civilisation», dans le même numéro :

> Qu'on m'entende bien :
> Il ne s'agit point d'un retour en arrière, de la résurrection d'un passé africain que nous avons appris à connaître et à respecter. Il s'agit au contraire d'une mobilisation de toutes les forces vives mêlées sur cette terre où la race est le résultat du brassage le plus continu ; il s'agit de prendre conscience du formidable amas d'énergies diverses que nous avons jusqu'ici enfermées en nous-mêmes. Nous devons maintenant les employer dans leur plénitude, sans déviation et sans falsification. Tant pis pour ceux qui nous croient des rêveurs.

Si on a pu les croire des rêveurs, c'est bien parce qu'ils ont célébré, par leur engagement culturel et politique, l'efficacité majeure de l'action poétique, malgré la veulerie des élites silencieusement attentistes et les sarcasmes des censeurs pétainistes, *vainqueurs omniscients et naïfs,* incapables de percevoir la force des injures masquées à coups de mots rares en rafales et d'écriture automatique comme une mitraillade, ainsi que le manifeste cette variante ajoutée en 1940 par Césaire, de retour au pays, à son *Cahier d'un retour au pays natal,* bordée d'injures en mots codés ésotériques pour tromper les censeurs, lancée à l'encontre des parades en uniformes blancs des marins d'occupation :

> Inutile de durcir sur notre passage, plus butyreuses que des lunes, vos faces de tréponème pâle.
> Flics et flicaillons
> Verbalisez la grande trahison loufoque le grand défi mabraque et l'impulsion satanique et l'insolente dérive nostalgique de lunes rousses, de feux verts, de fièvres jaunes…

Poésie proclament-ils : *cannibale, humoristique, apocalyptique,* et *élémentaire.*

Cannibale, écrit Suzanne Césaire, toujours à l'avant-garde des exigences lucides et passionnées : «Allons, la vraie poésie est ailleurs. Loin des rimes, des complaintes, des alizés, des perroquets. Bambous, nous déclarons la mort de la littérature doudou...» (*Tropiques,* 1941.)

Humoristique, annonce René Ménil, contre le sérieux des postures du bourgeois antillais, et pour retrouver la tradition d'ironie sur soi et les dérisions du destin : «[...] par quoi on peut *se déprendre de soi* et transgresser ses propres limites en épousant la lame de fond de la sincérité aveugle.» (*Tropiques,* 1945.)

Apocalyptique, précise Aimé Césaire, car se déprendre de soi exige une création qui se risque aux enfers sans garantie de remontée : «La poésie... nous entendons la maintenir vivante ; comme un ulcère, comme une panique, images de catastrophes et de liberté, de chute et de délivrance, dévorant sans fin le foie du monde.» (*Tropiques,* 1943.)

L'importance capitale de la génération de *Tropiques* dans le monde caribéen vient précisément de là : la célébration conjointe de la naissance d'une nation et de l'accomplissement de la création, en paroles et en actes recréateurs de la communauté advenue. À l'exemple de l'arbre qui, planté seul au milieu de l'île de la déportation, épanouit une floraison d'artistes solitaires et d'enfants orphelins, à qui le poète ose proposer un avenir bien caché derrière le dos du malheur :

> Il ne s'agit pas comme dans l'ancienne lyrique de l'immortalisation d'une heure de peine ou de joie. Nous sommes ici bien au-delà de l'anecdote, au cœur même de l'homme,

185

au creux bouillonnant de son destin. Mon passé est là qui me montre et me dérobe son visage. Mon avenir est là qui me tend la main. Des fusées montent. C'est mon enfance qui brûle. C'est mon enfance qui parle et me cherche. Et en celui que je suis celui que je serai se lève sur la pointe des pieds…

(Aimé Césaire, *Tropiques,* n° 12, 1945.)

Au travers des mouvements culturels des Antilles françaises, depuis les années 1920 jusqu'à la départementalisation de 1946, de *Lucioles* à *Légitime Défense,* jusqu'à *Tropiques* et la *Revue guadeloupéenne,* c'est une dualité fondamentale qui se fait jour et nourrit tant les élans littéraires que les ambiguïtés et les contradictions des stratégies politiques. À savoir que même parmi les hommes qui défendaient, comme l'écrivait Césaire, « les Antilles côté histoire, les Antilles côté volonté d'en finir d'être les Antilles, je veux dire, en marge de l'histoire, le cul-de-sac innommable de la faim, de la misère, et de l'oppression », la conscience de leur identité spécifique n'a pas débouché dès l'origine sur une revendication politique d'autonomie ou d'indépendance, qui ne prendra corps que plus tard, avec les années 1960, après la départementalisation. L'avancée d'une conscience nationale et caribéenne est occultée en apparence par la priorité accordée au combat internationaliste, et au combat pour l'égalité sociale, menés tous deux une fois de plus au nom des droits de tout homme à ne subir nulle oppression de race ni de classe. De même que, dans le passé, il arrivait aux « élites de couleur » de faire alliance avec le gouverneur – l'envoyé de la République – contre les abus des colons, de même, pendant la Dissidence de 1939-1943, l'alliance avec la France libre sera l'élément déterminant d'une stratégie de destruction du système colonial, soit en faisant confiance à la logique du processus de décolonisation qui devait faire suite à la victoire de la Résistance contre le fascisme de Vichy – en conséquence du ralliement des colonies à la France libre, notamment en Afrique sous l'impulsion du gouverneur général Félix Éboué –, soit en se fondant dans le combat internationaliste, tel celui mené par le mouvement communiste antillais, qui sera prépondérant au lendemain de la Libération. Et c'est ainsi que l'absence de revendication nationaliste en faveur de la constitution d'États indépendants a pu masquer la réalité de l'existence de peuples et de cultures constitués.

Ce qu'a analysé en ces termes Aimé Césaire dans un texte important, en préface au livre de Daniel Guérin, *Les Antilles décolonisées* (Présence africaine, 1955) :

> Il est permis de se demander si ce n'est pas là la raison de l'inadéquation, donc de l'échec, de toutes les politiques antillaises suivies à ce jour : de s'être cantonnées dans d'apparemment commodes fictions juridiques ; de n'avoir pas eu le courage de regarder en face la réalité antillaise ; de ne s'être pas aperçu que tout ceci qui est très connu et que personne ne peut nier, je veux dire le particularisme de chacun des pays antillais, la remarquable communauté psychique de leurs habitants à quelque race qu'ils appartiennent, le fait qu'à côté d'une langue de grande civilisation, ils possèdent à leur usage interne une langue qui leur est propre et qui est le créole ; l'existence enfin dans ces pays d'un embryon de culture, résultat de l'élaboration syncrétique d'éléments européens, africains et indiens ; de ne pas, dis-je, s'être aperçu qu'on irait au-devant de difficultés sans nombre en n'admettant pas au préalable que tous ces indices pris ensemble constituent bel et bien des éléments révélateurs de véritables petites communautés nationales.

En fait, dans le grand mouvement de « dépossession du monde » qu'a été la décolonisation, la reconnaissance de la légitimité des peuples s'est toujours accomplie par la revendication de constitution d'un État de droit selon les deux modèles alors dominants de démocratie bourgeoise ou de démocratie socialiste. Or, aux Antilles, devenues départements français d'Amérique en 1948, au moment même de la puissante affirmation culturelle de leur identité spécifique, le *marronnage historique* depuis l'abolition de 1848 a souvent consisté à cacher la nation dans le paysage, et à protéger la société civile du pouvoir absolu de l'État central. Pour cette génération, la conscience nationale ne s'est pas d'abord révélée prioritairement par la mise en œuvre d'un projet d'indépendance politique, mais par la tentative inédite d'opérer une *décolonisation au sein de la République*.

Ce qu'Aimé Césaire avait exprimé après la victoire des Antilles et de la Guyane contre l'occupant pétainiste en 1943 et la réapparition de sa revue *Tropiques* qui avait été interdite, dans un texte de février 1955, *Panorama,* par lequel Ariel semblait prendre congé de Caliban, pour cause d'alliance nécessaire entre marronnage et dialectique, entre l'épopée et l'histoire, à l'heure venue du double engagement poétique et politique :

Ce pays souffre d'une révolution refoulée
On nous a volé notre révolution.
La pire erreur serait de croire que les Antilles dénuées de partis politiques puissants sont dénuées de volonté puissante. Nous savons très bien ce que nous voulons.
La liberté. La dignité. La justice. Noël brûlé.
... Un des éléments, l'élément capital du malaise antillais, l'existence dans ces îles d'un bloc homogène, d'un *peuple* qui depuis trois siècles cherche à *s'exprimer* et à *créer*.

Nous voulons pouvoir vivre passionnément.

Et c'est le sang de ce pays qui statuera en dernier ressort.

Et ce sang a ses tolérances et ses intolérances, ses patiences et ses impatiences, ses résignations et ses brutalités, ses caprices et ses longanimités, ses calmes et ses tempêtes, ses bonaces et ses tourbillons.

Et c'est lui qui en définitive agira…

Le Solitaire et le Solidaire secrètement réunis au service d'une prophétie portée pour la Caraïbe tout entière, en écho à la fière affirmation de Derek Walcott : *« Either I'm nobody, or I'm a nation »* (« Ou bien je ne suis personne, ou je suis une nation »), chaque île en appelant une autre pour offrir un archipel à l'avenir.

6
Le singulier universel de Wifredo Lam

Wifredo Lam a édifié un monde pictural qui le place à l'un des tout premiers rangs de son siècle, en parcourant avec force, angoisse et générosité, le monde entier que composait en lui l'héritage de sa généalogie d'Europe, de Chine, d'Afrique en Amérique. De son exil de Cuba, impossible à dépeindre *au départ,* jusqu'à son retour en fils prodigue de ses recréations, initiateur de genèses surgies de la jungle, en passant par l'escale fondatrice de Martinique en 1940, nourrie de la rencontre de Césaire et du *Cahier d'un retour au pays natal,* puis par le séjour à Haïti, qui conjura les peurs des avatars de l'imaginaire, il symbolise à merveille la puissance des connivences qui donne sa réalité d'archipel culturel à la Caraïbe, au-delà de la singularité de chaque île, porteuse d'élans sans frontières vers l'universel.

Insolite bâtisseur, homme-rabordaille, comme le définissait son ami-frère Aimé Césaire, qui trouva dans le spectacle de ses tableaux la preuve solaire de l'existence de leur Caraïbe par la transmutation du paysage en pays et de l'outrage en œuvre : «Oui, il se passe que des hommes qui roulaient bord sur bord leur destin de jungle et de misère, assaillis de doutes, de sollicitations contradictoires, se sont, à force de tâtonnements nerveux, d'incohérence, de fulgurance, TROUVÉS.»

La *pré-vision* est telle :

Wifredo Lam, dès l'enfance, n'a jamais connu de miroir qui ne reflète comme pour tout le monde qu'une seule réalité. N'a jamais connu un paysage natal qui ne mêle pas étroitement des images d'enfer et de paradis. N'a jamais connu d'hommes qui ne descendent pas à la fois de l'ombre et de la lumière dans leurs sangs abruptement métissés. Tout regard caraïbe est d'abord modulé par le jeu permanent du soleil et de l'ombre parfaitement alternés dans l'air des arcs-en-ciel, dans le fouillis vertical des sous-bois et des cannaies, et surtout dans le filtrage des jalousies et des persiennes des cases et des habitations, jusqu'au cannage du mobilier créole, jeu qui modèle toutes les ombres en formes improvisées, amusantes ou angoissantes, échappant toujours à l'élucidation des perspectives clarifiées.

Chacun de ses regards sur lui-même, sur le monde et sur les hommes recomposait un tableau qui révélait ou qui cachait plus de choses qu'il n'était permis (deux visages de lui-même dans la glace du salon, qui lui laissera pour toujours une inquiétude oblique dans son sourire serein), trop de couleurs sur la palette des peaux, trop de désert au fond des cœurs, trop d'expressions gommées sur les portraits, trop de distractions « meurtrières aux rêveurs qui les imaginent », comme disait René Char. Et puis un jour précis de 1907 : l'ombre d'un oiseau dans la chambre, affolé par le vacarme au-dehors des sabots d'un cheval, le costume sans tête du père balancé sur un cintre, *comme un homme décapité,* et l'obligation pour lui de *composer tout seul* la scène monstrueuse décomposée par les rayures d'ombre et de soleil, que toute son œuvre n'aura de cesse d'exorciser en la rejouant sur bien des toiles afin d'éclairer ses fantômes en osant inventer ses visions fondatrices : chevaux domptés, oiseaux charmés posés en guise de tête sur les humains assoiffés d'envol hors des vies enchaînées.

L'histoire est telle :
Quatre continents pour édifier une Caraïbe, oasis marine tramée sur un désert d'humanité, quatre siècles d'un enfer forgé dans un décor d'îles-paradis.

La géographie est telle :
Quatre éléments pour encadrer l'histoire : *Paradis raté* au diapason des écrasements, noyades et brûlures additionnées, apocalypses qui donnent aux peintres déboussolés des envies de natures mortes, de glaneuses résignées et de tranquilles anomies.

Mais aussi, à l'inverse : quatre éléments pour recueillir les révoltes logiques et modeler les utopies refondatrices : un condensé de terre pour rempoter l'exil, l'eau pour entretenir les soifs de liberté, la lave solaire pour pétrir les recréations, l'air libre pour envoler les oiseaux du possible.

Ici, ni le temps ni l'espace ne se rythment à l'harmonie équilibrante des quatre saisons. Le Carême et l'hivernage s'affrontent à coups d'excès binaires qui révèlent les structures élémentaires des hostilités.

Wifredo Lam est tel, fils digne de cette histoire et de cette géographie :
Quatre continents à déraciner de ses hérédités familiales pour planter son identité. Une imagination à libérer de mille assignations l'encerclant à tous les horizons formels d'Asie, d'Europe, d'Afrique et d'Amérique, héritages camouflés en devoirs et en cadeaux afin de rassurer l'étudiant-peintre perdu au milieu de cette jungle d'antiques. Patrimoines en concurrence d'influence prioritaire, chaque continent à tour de rôle bien disposé à se l'approprier. Trésors d'îles en *débris de synthèses* à recoller par morceaux dans le seul cadre acceptable d'une esthétique de juxtapositions métisses,

où chaque ancêtre pourrait venir trier ses grains originels, reconnaître son bien au milieu du magma. («Fils de la Chine, élevé à Cuba», proclame le ministre chinois inaugurant l'exposition de Pékin de 1991. «Il a le droit, lui, il est nègre!», réplique vertement Picasso à Pierre Loeb en 1938, qui cherche une présence africaine lors de sa première visite à l'atelier de Lam.) Et Lam en 1972 se fait lyrique pour revendiquer comme seuls ancêtres tous ceux sur terre qui représentent «l'héritage de la convulsion de l'homme et la nature. Le Nouveau Monde!».

Ici venu, dans ce nouveau monde mal tissé et mal cuit de son île, l'avenir n'est ni paresse ni caresse, car la terre est trop meuble et friable pour garantir un ancrage aux essences de ceiba, de mapou, et d'acoma, arbres embarqués dans l'île comme des mâts trop gros pour la voile et la toile. Les sentiers sont trop étroits, les carrefours trop chiches devant la mer pour prendre le temps de sinuer et de tergiverser. L'arrière-pays touche les plages à l'avant-scène, sans place pour les profondeurs de champ.

Mais aussi la terre est bien trop riche pour être désertée. Donc, le poète, le musicien et le peintre ne vont pas s'attarder à *rémunérer* le défaut des langues, des partitions et des écoles étrangères, pour les soumettre ou s'y soumettre, mais seront requis d'aller à l'essentiel: à l'imagination. «Tout le possible sous la main, rien d'exclu», disait Césaire, à la seule condition d'accepter de travailler la toile métisse de leurs purs sangs mêlés.

Le génie de Wifredo Lam est d'avoir très tôt compris la dimension universelle de ce qui s'est joué en trois siècles pour édifier sa Caraïbe, et d'avoir décidé de transcrire sur la toile, hors des murs étroits du local et de la contingence, ce composé de mortifère et de vitalité, de cauchemars et de jouissance créatrice qui modèle en tous lieux et tous temps le désordre du vivant. Car de La Havane à Madrid, de Paris à New York, de Haïti à Shanghai, des Antilles au Congo, de Sagua la Grande à Albissola, Lam sait non seulement que «le monde entier nous appartient», comme le proclamait si justement André Breton en 1941, découvrant avec lui la surréalité martiniquaise, mais que lui appartient au monde tout entier, natif-natal de même famille que le frère d'élection Aimé Césaire : la carte du monde «teinte à la géométrie de tout sang répandu», et l'identité sans carte «non prisonnière d'un angle facial, mais mesurée au compas de la souffrance». Le XXe siècle, cumulard de naufrages, espérait sans doute l'avènement de ce grand combattant de l'internationale créatrice.

Car le programme de Lam, des premières visions d'enfance jusqu'au dernier souffle, a été d'accomplir cette gageure : composer chaque tableau de telle sorte qu'il génère à la fois la plus grande angoisse paralysante chez les oppresseurs et la plus grande espérance combative chez les opprimés. «Troubler les rêves des exploiteurs», et pour tous les autres, représenter la liberté, c'est-à-dire : «faire travailler l'imagination». Comme dans le miroir d'enfance qui reflétait mystérieusement deux faces de lui-même. Comme le vœu d'Alice, choisie par lui au tarot de Marseille, de relier en miroir le devant et le derrière pendant que, en 1940, les jeunes surréalistes étaient dans l'attente à Marseille du bateau salvateur pour New York. Comme le voisinage du *réel merveilleux* partagé dans la nuit haïtienne de 1945 avec les poètes et les Loas. Positionner, comme il le disait, son *cheval de Troie* les flancs bourrés d'amour dans la cour de l'enfer. Au risque, précisait-il, de n'être compris ni par les uns ni par les autres. «Peindre le drame sans cha cha cha.» Révéler Éros en embuscade derrière le bouclier de Thanatos.

Au siècle où tant d'artistes et de poètes s'arrêtent, exté-

194

nués, tués ou suicidés, devant le tableau du désastre, avec l'Europe qui s'interroge, rescapée de ses horreurs nazies : peut-on encore écrire, chanter ou peindre, pendant et, plus encore, après ?... Alors, Lam retranché au cœur de sa Caraïbe présente en plein milieu du cyclone de 39-45, revenu au point de fuite du départ après son tour du monde des chefs-d'œuvre de l'art, la magnifique réponse de *La Jungle,* remettant debout les figures de Guernica, malgré le souvenir de la femme et de l'enfant perdus si tôt en Espagne à l'orée du bonheur, malgré sous ses yeux les déchéances obscènes, les croupes prostituées de La Havane dollarisée, malgré le souvenir de main coupée et de bâillon des ascendants dissidents d'esclavage, malgré la sueur des cannes pressurée par le lucre, malgré la peur des diables à l'orée de la case (*Aqui vive el Diablo ?* s'enquiert l'enfant d'une voisine), malgré la concurrence très loyale des couleurs du jardin (image forte du bûcher des toiles reniées de 1958 dans la cour au milieu du rouge des hibiscus et des flamboyants), malgré le bouclier des immenses feuilles de madère, les bananiers pathétiques aux feuilles bien déchiquetées, les offrandes des papayes bombées et du doux lait des cocos, malgré l'ombre solaire filtrée par les jalousies de l'atelier et les bruits de la nuit antillaise qui rythment sa gestation.

Malgré tous ces malgré, Lam restitue à l'homme et à la femme leur nature de plantes debout, mains et seins nus offerts à toutes les renaissances, pieds replantés de peuples-roseaux, des yeux qui dévisagent la vision. Dans ce siècle qui ne sait plus distinguer l'espoir du désespoir, Lam nous restitue la genèse de l'un sur le terreau de l'autre, au-delà du bien et du mal, qu'il tente aussi d'interpréter avec les mots raisonnables de l'engagement (« j'ai montré la réalité de l'acceptation et de la protestation », et Michel Leiris ira jusqu'à proposer d'assimiler les quatre figures libérées de *La Jungle* aux quatre Internationales), dépassé lui-même par la parole de ses tableaux, sa main trop petite dans les poings du personnage, roseau-peignant debout sur une chaise pour grimper à hauteur du destin.

Point de départ. Tableau de 1950. Voilà fixée pour toujours cette couleur-terre du fond qui annule tout effet de décoration jusqu'aux dernières séries de *L'Annonciation. Rumeur de la terre* omniprésente sur laquelle se superpose un assemblage de signes récusant toute reconnaissance, tout symbolisme clarificateur, et qui au final donne forme à des figures forçant les frontières que les yeux inquiétés veulent dresser entre l'humain, l'animal et le végétal, entre les rêves et les cauchemars.

Et puis il y a le grand secret du rythme des *Compositions,* tout droit venu des musiques écoutées dans l'atelier pour mieux se sentir seul *entre blues et són,* et accompagner la cadence du pinceau, musiques à faire danser les oiseaux en souffrance d'envol, tel *L'Oiseau blanc* de 1966, danser les pieds et les sabots en rupture de chaînes, mouvance élégante de sonates, de *danzons* et de *guajiras,* qui arrondissent les angles sans perdre la mesure de la composition, et qui balancent au gré du concert baroque de toute l'œuvre peinte, une pensée de l'équilibre sans l'angoisse de la disharmonie, sauf quand la cacophonie de *La Brousse* s'organise en désordre free de jazz et *descarga.* Et quand le tableau ne danse pas, alors parfois les obliques se font plus rationnelles, et le mouvement ne déplace plus les lignes : le statut hiératique des parfaits losanges d'*Umbral,* figés comme des totems les empêche de danser. *La Géométrie dans la tête* et *Le Coq noir* s'offrent, eux, en tableaux-solos nostalgiques de la polyrythmie.

Toute l'œuvre à suivre verra la déclinaison maîtrisée de ces instants primordiaux, ce rendez-vous de l'élémentaire avec les rituels à déjouer, cet appel aux *coloris* et à l'*allure* que requiert Mallarmé pour arriver au sens *quand le dis-*

cours défaille. Sans nul souci de révérence vaudoue ou *santera* ou de soumission aux vrais arcanes des initiés. À la différence des grands naïfs haïtiens, les tableaux de Lam n'offrent ni passerelles, ni ponts, ni échafaudages, ni ferronneries emblématiques, ni champs superposés, qui permettent aux initiés de flécher les étapes du voyage des significations. Nul sentier d'initié ne balise le mouvement libre de ses compositions. Initiateur de signes et de significations, Lam dépouille le tableau des chromos, des graphies, des *vèvès,* qui ont pour fonction de cacher ce qu'ils révèlent : le secret-sacré, et ce faisant il met à nu le jeu des possibles symboliques, mais sans règle ésotérique ni indifférence formaliste, proposant au final ses écritures à l'imagination en fonction, selon lui, « non d'une tradition symbolique, mais toujours à partir d'une excitation poétique ». Avec aussi un clin d'œil au grand médiateur Élégua, *l'ouvri-bariè,* le dieu du vaudou ouvreur de barrières, redécouvert par lui à Haïti, cosignataire fidèle dans son coin de tableau de nombreuses œuvres à venir, l'ouvreur secret de toute barrière entre les apparences et l'imagination.

Tout cela, bien entendu, n'a pu s'initier qu'à partir de l'inventaire minutieux des héritages, à la suite d'un tour des origines explorant tous les chemins du monde avant le retour à la caraïbe natale, après l'inventaire des racines pour accéder au grand air des fructifications.

Dans son *Paysage de la Martinique* de 1887, Gauguin, hôte de passage, isole au centre du jardin tropical un papayer grêle comme un arbuste grimpé en haut du ciel tranquille avec ses fruits offerts au soleil, tel un mât de navire en radoub débordant d'une cargaison fleurie. Avant de poursuivre le voyage dans la paix du Pacifique pour trouver mieux encore ce qu'il cherchait : le liquide amniotique des lagons et le silence d'un paysage sans humains. Réfugier la peinture dans le décor des parnassiens : *un lieu sauvage au rêve hospitalier* ; aller avec le douanier Rousseau jusqu'à repeindre de loin le paradis retrouvé : c'est ce programme que le jeune Lam n'arrive pas à accomplir dans ses débuts à Cuba. Il ne retrouve pas son paysage dans ces tableaux de coloris sans colère, sans les *confuses paroles* des arbres *vivants piliers.* Mais de même qu'aucun peintre local ou de passage ne reproduit selon lui la réalité qui l'entoure, que la couleur locale l'a fait fuir, de même, à l'inverse, il n'imagine pas que le monde qui l'encercle puisse un jour être réellement dépeint. Sa nature lui fait peur, les monstruosités de la société sont indescriptibles, les couleurs sombres manquent, le soleil consume, et la pleine lune, qu'il appelle *l'œil de l'ombre,* surveille à sa fenêtre le débutant calfeutré dans la chambre en quête de nocturne pour tenter d'imaginer. Il va donc falloir partir. Partir très longtemps au fond de siècles d'Europe pour trouver du nouveau après s'être assuré d'une maîtrise de tout l'ancien. Et rejoindre ce que son avenir cachait derrière le silence des apprentissages et des incompréhensions.

Apollinaire et Picasso, et tant d'artistes européens découvrent avec les masques nègres une esthétique libératrice qui les conduira sur les chemins de leurs nouvelles libertés, au fond de l'art nègre pour légitimer le renouveau des formes, mais d'abord dans l'ignorance de l'humanité africaine blessée.

Lam, à l'inverse, en héritier porteur de l'inventaire des blessures et des exigences, est d'abord parti de l'humanité nègre pour en rhabiller la nudité et les parures perdues, avec des masques africains dans lesquels il reconnaissait une éthique de résistance et l'exigence silencieuse de préserver en tout temps les armes de l'art et de la beauté.

D'où l'insolite éclat du geste de Picasso, entre offrande

et restitution, *re-présentant* à Lam les statues et les masques des ancêtres qui avaient été interdits trois siècles durant de voyage en Amérique, et auxquels il lui reconnaissait avoir droit d'usage esthétique et moral. Et la découverte chez Lam d'une parenté avec des traces d'enfance et de résistances au nom de laquelle il recouvrira un temps avec bonheur d'un masque nègre les visages symbolisant toute humanité reniée puis reconquise. Et là encore, comme pour ses héritages d'Europe réinterprétés, l'extraordinaire est que c'est par la voie des masques, par cette médiation esthétique en vérité totalement étrangère à sa mémoire d'images, que sa dimension de *négritude* pourra alors accomplir la formulation recherchée de sa représentation. Non par un retour à une africanité ancestrale, non par un choix de communautarisme ethnologique, ni un alibi ethnique opportuniste cueilli dans sa riche généalogie métisse, mais par une solidarité élémentaire accomplie d'abord dans un geste artistique, nourricier de l'œuvre partout proposée en témoignage de combat et de vitalité, une trace à dessiner, des graffitis à peindre contre les murs, en alliance avec les frères d'armes poétiques, plastiques, musicales et politiques : un engagement pratique et plastique avec les Antillais de 1941 en lutte contre le fascisme pétainiste, avec les Haïtiens et les frères cubains en souffrance de dictatures, puis avec les libérations en gésine en Amérique latine, en Europe et en Afrique. Sans vérification préalable de parentés obligeantes. Nègre, c'était en Amérique le nom porté par ceux qui combattaient l'inhumain au nom de toute humanité, au point qu'en Haïti, la première île libérée depuis 1804, le mot Nègre signifie naturellement homme, quel que soit l'éventail des peaux.

Ce siècle de *Guernica* est celui des déluges de feu « sans plus un seul tesson d'azur, pas un arc à lancer l'espoir d'une flèche de soleil » que lui décrivait à Madrid le Haïtien Jacques Roumain, dans le feu fraternel des Brigades internationales. Et Lam tente de répondre partout présent, par tranquille et élémentaire décence, dans le feu de la guerre d'Espagne, dans la boue de l'exode parisien de 1939, dans l'orage de 1959 dans la sierra Maestra, dans tous ces temps où le plus élémentaire souci de préserver l'humanité commune prenait les formes de l'internationale, du tricontinental, du tiers-monde, et de la résistance, de la dissidence, de la décolonisation, de la désaliénation des corps et âmes. À grands jets de tableaux édifiés à la vie à la mort.

L'or ne lessive pas la dignité salie. Cette pensée africaine tirée du *Kaïdara,* récit initiatique rapporté par Amadou Hampaté Bâ, peut expliquer pourquoi la représentation de l'Afrique par les artistes de la diaspora américaine a longtemps été peinte de masques ou de nudité. Pendant des siècles, la résistance à l'esclavage avait manqué de peintres et de sculpteurs, interdite de représentation, et seuls les arts du corps, ceux que la victime même emprisonnée pouvait accomplir sans autre médiation que sa bouche, ses mains et ses pieds, à savoir la profération du poème et du conte, le chant et la danse, avaient pu porter dès l'origine les aspirations de jouissance et de liberté. Impossible durant des siècles de forger, de tisser et de sculpter. Ne restait aux artistes du visuel que la possibilité d'improviser en génies du bricolage un composé de pièces rapportées, sans matières nobles d'or, d'argent ou d'étoffes, sans rouets ni forges rituelles ni tambours d'initiés. Cette pureté nue, puissante et sans parure, les tableaux de Lam sauront en hériter.

Lorsque Lam illustre en 1947 la première édition française chez Bordas du *Cahier d'un retour au pays natal* d'Aimé Césaire, le frontispice représente un homme ou une femme bras levés en totem avec en guise de visage ce simple masque nègre qui accompagnera tant de tableaux à suivre, la matrice de *Madame Lumumba.* On sait combien fut déterminante pour le poète et le peintre leur rencontre à la Martinique en 1941, sur le chemin de fuite de l'Europe nazie. La fameuse visite guidée par Aimé et Suzanne Césaire à la forêt d'Absalon, qu'ont aussi célébrée Breton et Masson dans *Le Dialogue créole* du livre *Martinique, charmeuse de serpents,* marque sans doute la réappropriation quasi initiatique de Lam de la terre caribéenne d'abord niée et reniée au départ vers l'Europe, en attendant les ancrages du retour à Cuba, avec l'autre étape essentielle du séjour à Haïti. Aussi importante que cette foulée commune de terre, d'eau et de feu au sein de la montagne Pelée fut la lecture du poème de Césaire, bientôt traduit en espagnol à Cuba en 1943 par Lydia Cabrera avec les illustrations de Lam qui annoncent les personnages hybrides, monstres dinosauriens et oiseaux-femmes, seins et crinières, pieds et sabots reliés, qui formeront pour la suite son univers pictural, tel que l'avait pré-dit la parole du *Cahier* dont il disait que *La Jungle* était directement issue : « Terre grand sexe levé vers le soleil, Terre dont je ne puis comparer la face houleuse qu'à la forêt vierge et folle que je souhaiterais pouvoir en guise de visage montrer aux yeux indéchiffreurs des hommes il me suffirait d'une gorgée de ton lait *jiculi* pour qu'en toi je découvre toujours à même distance de mirage la terre où tout est libre et fraternel ma terre. » L'étonnant est donc que pour cette première édition française de Bordas en 1947, on trouve ce frontispice dont la caractéristique africaine totalement marquée, à distance de l'évolution du peintre à cette date, ne peut venir que d'un geste solidaire d'hommage aux *présences africaines* volontairement assumé par les deux frères en création.

Car ce que marquent ces deux chefs-d'œuvre, *La Jungle* et le *Cahier,* deux œuvres de folle jeunesse accomplissant une définitive maturité, c'est bien l'*annonciation* reconnue de leur ancrage universel parce que caribéen. La prise de possession des Amériques arrachées aux conquistadores et aux colons, l'Amérique découverte par l'Europe, déchirée, déshabillée, violentée, mais recouvrée par les résistants victorieux des oppressions fondatrices, prêts pour d'autres batailles contre les nouvelles exploitations, sachant le mal toujours déplacé vers d'autres raffinements d'exploitation de l'homme par l'autre. Avec le travail d'une mémoire vive nourrie au sucre des plus hautes créations poétiques, plastiques et musicales, victorieuse des ressentiments et des aliénations, ayant appris à enraciner l'espoir enfoui sur un terreau fertile en désespoirs. Une géographie enfin enracinée dans une géologie plus profonde que les apparences de saisons, et une généalogie de reconnaissance de tous les ancêtres sans stratégies de tri et sans besoin de racines pour déguster les fruits ni de branches pour les oiseaux. L'assomption d'un mythe flamboyant d'origine bricolée comme un vieux puzzle recomposé malgré les pièces manquantes et les morceaux salis. Thématique qui sécrète la composition de maints tableaux de Lam auxquels peuvent s'appliquer ces vers de Césaire : « Tête trophée membres lacérés dard assassin beau sang giclé : l'oiseau aux plumes jadis plus belles que le passé exige le compte de ses plumes dispersées. »

Jean-Paul Sartre avait bien justement pressenti, préfaçant en 1948 l'*Anthologie de la nouvelle poésie nègre et malgache* de Senghor, la naissance aux Amériques de la grande poétique orphique de ce temps, initiée par une descente au plus profond des enfers pour une remontée non pareille des Orphées noirs les yeux grands ouverts sur toutes les Eurydices violées porteuses au ventre de l'avenir à naître de l'amour et du destin raccommodés. Et tous ces poètes savent bien depuis au moins l'Égypte et la Grèce antiques l'universalité de la quête orphique et des créations et recréations qu'elle a suscitées. Et le temps et l'espace sont si chichement comptés dans la Caraïbe que ses créateurs ne sauraient souffrir nul enfermement dans les murs du local, nul encerclement sous prétexte d'édifier des frontières rassurantes et des sens interdits protecteurs des nouvelles propriétés identitaires, édifiées sur les modèles ancestraux des bâtisseurs d'altérités emmurées.

C'est dans ce contexte que l'Afrique a refait son entrée dans la Caraïbe, invitée par ses descendants retrouvés à découvrir leurs inédites singularités, et à affirmer les siennes propres dans une modernité décolonisée. Ce n'est pas parce qu'il était d'ascendance partiellement africaine que Lam se serait arrogé le droit que lui reconnaissait volontiers Picasso de s'inspirer des masques pour parfaire sa singularité. C'est au contraire parce qu'il était pleinement cubain, assumant tous ses héritages, *la peau de seule couleur cubaine,* lui disait Nicolás Guillén, et parce qu'il cherchait à mettre un visage d'humanité sur le corps de ses frères noirs toujours dramatiquement exploités au sortir récent de l'esclavage. Humanité écrasée ou redressée, c'était selon, et les masques nègres s'offraient au peintre en deux visages possibles de la lutte et de l'écrasement. Par exemple la bouche absente et les yeux fermés pour afficher le drame des victimes silencieuses et prostrées, ou au contraire les mains ouvertes, les pieds plantés et la puissance dressée en totem pour affirmer la résistance triséculaire. Avec partout et toujours à l'œuvre le projet originel de Lam de peindre sur une même toile le tableau complet de la condition humaine : le cauchemar mortifère, la jouissance et la vitalité. Le choix du frontispice du *Cahier* s'éclaire alors d'en manifester l'exacte synthèse : un visage d'*astre mort* sans yeux ni bouche, et de grandes mains dressées à bout de bras, comme pour illustrer le composé d'illusion et d'enthousiasme, de doute et de confiance du programme du peintre et du poète à l'orée de tous leurs engagements : « Ma bouche sera la bouche de ceux qui n'ont point de bouche. »

Sans doute les paroles et les silences de son père chinois ont-ils été aussi bien entendus de l'oreille du peintre à venir. L'oreille encore au travail, car peu d'images et d'illustrations venaient troubler à ses yeux d'enfant l'imagination des paysages que l'histoire du côté paternel avait traversés : sibériens, mongols, tartares, chinois. «Dans ses yeux se levait le soleil d'une île convulsive», dit-il à propos de ce père, dont le regard saisi dans un des tout premiers tableaux explique peut-être aussi la spécificité de tous les yeux à suivre. Extraordinaire transmutation d'imaginaire, qui arrive à faire refluer l'image de l'immensité chinoise dans la vision condensée d'une île à sa portée. Analphabète en chinois, face à un père qui faisait le scribe pour sa communauté, Lam a bien su concevoir que la mémoire vive se nourrit mieux de recréations imaginaires que des tentatives de représentation. Du père au fils, la Chine lointaine et proche *faisait signes* pour leurs seuls yeux traducteurs de paroles muettes. Lam a souvent affirmé que la peinture a toujours été pour lui le moyen de transmettre le sens de paroles tues, et par-dessus tout de la parole de poésie, sans essayer de voler leur langage à tous ses fidèles poètes de compagnie, mais en trouvant les *mots plastiques* porteurs à eux seuls des acceptions. L'écriture chinoise ne copie pas le réel, elle ne constitue pas non plus un dictionnaire de symboles bien classés. L'exigence faite à l'œil par la calligraphie de composer avec chaque signe une synthèse de significations est sans doute pour beaucoup dans le sens plastique que Lam propose à l'espace du tableau. (*Poémas plásticos*, propose le Cubain Fernando Ortiz pour définir l'esthétique de Lam.) Tout vrai poème cherche à libérer le mot face à la chaîne du texte, par son sens déplacé, par sa place incongrue. «Il m'arrive de nager de ruse sur le dos d'un mot dauphin», lui confie Césaire, et de même qu'il arrive au poète de dessiner un mot sur le sol pour mieux marcher, d'écrire un mot frais pour mieux traverser le désert, il arrive au pinceau de Lam non pas de décrire, mais d'écrire un oiseau-mot, un sabot-mot, un motif-mot, des ani-mots, dont il serait vain de vouloir retrouver le sens commun ou le linéaire raisonné, dans la mesure où tout l'effort du peintre-poète consiste ainsi à échapper à la trame de récit et au théâtre de la représentation. Tout en restant à mille lieues de tout jeu décoratif de calligraphie, dont il savait la pesanteur de sens propre dans l'écriture respectée de son père.

Entre la démesure de tout vouloir dire, et le soupçon de l'inutilité du dire, ces deux tentations peut-être sont à l'œuvre dans la série des *Brousses* (en 1958), tracés calligraphiques où le rappel des losanges et la verticalité préservée des cannes à l'image des totems d'Albissola s'estompent et se déplacent en mouvements de l'informe, dans un brouillard de possibles accélérés entre prison et liberté, et qui s'emballent au point de recomposer des barreaux avec tous les traits libérés.

Ainsi, au-delà du grand rêve de Michaux d'un langage universel brisant *le mur de la typographie,* déclencheur de traces visibles sur la feuille ou la toile comme des battements de cœur au tempo de mescaline, au-delà de la proposition de Klee pour lequel « écrire et dessiner sont semblables en leur fond », Wifredo Lam semble là encore se poster avec grande sérénité de chaque côté des miroirs de l'Orient et de l'Occident, à distance de la folie et de la raison, confiant en la puissance de résonance du non-dit, fidèle à son injonction première de toujours laisser une place à la vacuité dans le tableau chargé, de toujours transcrire par le rythme une pensée d'ellipse et d'allusion face à la pesanteur du message à clarifier, et de débusquer instamment un équilibre entre le sens caché des signes et les signes affichés pour détourner les sens. À mille lieues de tout regard éloigné, sans doute Lam a-t-il choisi d'hériter partiellement de cette *perspective du dedans,* qui permet à une certaine tradition picturale chinoise de pallier la faiblesse de la vue de surface en portant le regard non plus devant-derrière dans une confrontation binaire (tels *Les Noces* et *Bélial* de 1947-1948) mais dans une autre perspective ternaire qui combine les trois lointains chinois : *le haut, le bas* et *le profond.*

Sauf que l'insulaire caribéen Lam *s'imaginait* bien que la Chine paternelle disposait, elle, de toute la place offerte dans un empire des signes, et que l'espace de l'île caraïbe ou du tableau ne pourrait laisser poindre tant de lointains sur sa toile étroite (à moins d'importer les *dehors portatifs* que Michaux appréciait chez Magritte !), et qu'il fallait donc accepter de composer une œuvre sans le secours cadré du paysage extérieur, mais plutôt comme un refuge de richesses nocturnes et intérieures, le pinceau dans la main gauche initiée aux nuits pathétiques. Et là encore, c'est la danse qui pallie l'absence du lointain et permet de tracer le mouvement du regard au fil d'un ballet surgi à l'avant-scène, comme dans la *Grande Composition* de 1960 où – tout comme dans son plus grand tableau : l'autre *Grande Composition* de 1949 – la danse de la forêt caribéenne s'organise dans un mouchoir de terre, où par manque d'espace s'entremêlent les corps mâles et femelles, animaux et végétaux, les têtes et les seins, les ailes d'oiseaux sur les jambes plantées, le rythme de la danse évitant tout fouillis et toute sauvagerie avec la distinction d'une contredanse bien régulée entre dames et cavaliers. Avec une fois de plus pour accompagner les compositions dans l'atelier fermé aux coups de lune, la mélodie fidèle des musiques du monde conciliatrices de l'espace et du temps, et qui lui faisait avouer : «Là, je me sens chinois. Je dois avoir l'oreille chinoise ! »

L'œuvre de Wifredo Lam est telle : l'échappée en flèches à toutes les encombrantes horizontalités, à toute droiture d'horizons imposés. Et la trouvaille totémique du plus court chemin de la sève vers le fruit. Ainsi peut-on précisément caractériser sa vocation, dans les termes de Magloire Saint-Aude, cet autre frère-poète rencontré à Haïti en 1945 : « Je suis le porte-preuve et le porte-parole des ferveurs consanguines que les pays échangent. »

C'est le monde tout entier qu'il a voulu nous révéler, au-delà du paysage restreint de son pays, l'avant-scène de la personne humaine au-delà du jeu des peaux, où nul ne pourra isoler une « race » précise sur le tableau mais seulement une humanité offerte en partage. Avec le jaillissement des flèches de canne et des jambes de femmes porteuses de sèves amères et sucrées assez vives pour remonter les pesanteurs et greffer des fruits et des seins gonflés d'espérances cherchant un ciel auquel se raccrocher. Avec les obliques pour casser le soc des angles trop droits, les lignes de fuite énergiquement redressées, les spirales ascendantes pour ne pas tourner en rond. Trouver le chemin qui permettra d'avancer sans circuler, ni déchirer la feuille, ni trop blesser l'eau-forte, de dresser l'homme sans déchoir après avoir tenté de redresser l'histoire.

Et c'est avec la délicatesse et la gravité d'un rescapé de l'imaginaire que va toujours travailler Wifredo Lam, avec une attention respectueuse à la matière des supports travaillés, une conscience d'artisan, une retenue concentrée préparant l'accomplissement du geste sur l'espace éthique du tableau. En témoigne sa réticence d'utiliser la pointe sèche trop brutale pour ses eaux-fortes (comme l'atteste son graveur milanais Giorgio Upiglio, si attentif à cette morale du geste qu'il chercha à lui inventer une technique douce moins *matiériste* pour ses gravures), et sa préférence pour le tracé au pinceau avant de mordre à peine au stylet la plaque vernie en préservant l'élégance du dessin et la primauté du trait. Lam appréciait la gravité du travail de gravure, mais se défiait sans doute de sa pesanteur. Comme s'il fallait aussi respecter sans les mutiler les sujets du tableau, sans les forcer à sortir de la toile mutilée à coups rageurs de lames et de couleurs pour imposer plus d'existence que les yeux des autres ne peuvent imaginer aux images de son miroir.

Et comme dans les légendes que lui rapporte Asturias de leur autre héritage amérindien, Lam déshabille l'homme de ses peaux de couleur et le revêt de peaux de dauphins, d'arc-en-ciel et de volcan. Et lui ira jusqu'à étaler la couleur nègre sur le fond des tableaux pour mieux y révéler la lumière de la pure chair humaine, fragilement proposée de *La Rumeur de la terre* jusqu'aux *Annonciations,* au fil des échecs et des flamboyances de son temps.

Tel est le programme modeste et fou que Lam a souhaité accomplir et qui fait de lui un des grands fils de ce XXᵉ siècle, élevant la créativité caribéenne à la hauteur du défi de tant d'apocalypses fertiles. Programme de recréation et de création fidèlement accompli tout au long de son œuvre, comme le proclamait Saint-John Perse, par refus des barreaux de prison des longitudes, par fidélité à la lumière de ses latitudes, ventilant lui aussi l'aire primitive de tout artiste affranchi de l'esclavage, de tout temps et de tout lieu. Au point que la meilleure définition de sa traversée du siècle pourrait être celle par laquelle son frère martiniquais, Césaire, dans la nuit haïtienne de leur deuxième rencontre en 1944, définissait le poète, et qui peut en tous mots s'appliquer à lui, Wifredo Lam : « Cet être très vieux et très neuf, très complexe et très simple, qui aux confins vécus du rêve et du réel, du jour et de la nuit, entre absence et présence, cherche et reçoit dans le déclenchement soudain des cataclysmes intérieurs, le mot de passe de la connivence et de la puissance. »

V
En guise de conclusion…

Ceux qui, pour se retrouver, ont quelque peu fouillé l'histoire hallucinante des Antilles, et ont pu surmonter la déception des documents tronqués (j'allais dire truqués) savent que sans descente en soi-même, sans l'intuition mobile de la rêverie, il n'est pas possible de donner corps à des faits que le fleuve du temps a recouverts de sa boue.

Le silence tragique, il faut le déceler sous l'abondance des paroles actuelles, sous l'hystérie des volitions d'aujourd'hui, sous ce flot de sentences verbeuses qui noient le corps en le rejetant loin des rivages du temps… Si les esclaves n'ont rien laissé d'écrit, comment retrouver le chemin de leur civilisation sinon en écoutant, pour le décrypter, le code de tout ce qui peut rester d'immortel en nous, d'inaltérable, le legs de tous ces corps qui découvraient, du fond de leur caverne, l'idée de la liberté ?

Vincent Placoly (*Frères volcans*, 1983.)

Ouvertes aux quatre vents du monde, les cultures caribéennes ont pour vocation de créer du neuf à partir de tout ce que les continents ont déposé d'alluvions, vivifiantes ou empoisonnées, de racines à la fois mortelles ou nourricières comme le manioc selon la partie ingurgitée. On ne comprendrait pas leur spécificité si on n'y cherchait qu'une angoissée nostalgie des origines africaine, européenne ou indienne, un rappel d'oralités ancestrales perdues. Car une de leurs caractéristiques communes, c'est justement de s'assumer en tant que cultures orphelines et bâtardes, contraintes ou libres de se perdre ou de se réinventer aux carrefours des généalogies. Et la conscience de la communauté vient de l'addition secrète des solitudes originelles. Les héritages sont si multiples – qu'ils aient été imposés ou choisis – que l'homme caribéen, orphelin de quatre continents, n'a ni le temps ni l'espace pour régler des comptes avec toutes les paternités originelles, mais il sait qu'il doit, à défaut de terre ancestrale, fertiliser son terreau. Au-delà des peaux et des masques, telle est encore la belle et bonne conclusion proclamée à la face des mondes, de Martinique en Algérie, par toute la vie et l'œuvre du Caribéen Frantz Fanon, *en guise de conclusion* à son premier livre *Peau noire, Masques blancs* : «Je suis un homme, et c'est tout le passé du monde que j'ai à reprendre. Je ne suis pas seulement responsable de la révolte de Saint-Domingue… Il y a ma vie prise au lasso de l'existence. Il ne faut pas essayer de fixer l'homme, puisque son destin est d'être lâché. La densité de l'histoire ne détermine aucun de mes actes. Je suis mon propre fondement… »

Pour édifier les Antilles, il a suffi d'un grain de sable et d'une goutte d'eau qui ont résisté à la machinerie des aliénations. Et pour qu'elles disparaissent, il suffirait d'en perdre la croyance et l'espoir. Car cette culture de résistance créatrice s'est édifiée avec les moyens du bord, par exemple la conscience même de cette fragilité, le calcul précieux des forces secrètes et des connivences nocturnes, pour vaincre. Cela consiste non pas à lutter pour prendre la place du maître, mais à lutter pour maîtriser l'oppression. Et notamment celle de la victime oublieuse souvent prête à occuper la place laissée vacante par l'oppresseur vaincu. Une des caractéristiques de la résistance à l'esclavage aux Antilles, c'est que le projet de l'esclave révolté n'était pas de vouloir mettre à leur tour les maîtres en esclavage, mais d'extirper toute forme d'oppression, de ségrégation et d'indignité dans le traitement des êtres humains. À la racine, sans angélisme, pour garantir leur non-retour. Et avec cette lucidité qui se dispense de l'éclairage du ressentiment.

Presque partout ailleurs, l'organisation étatique, ou la cohésion ethnique, ou l'unité religieuse ont précédé l'affirmation des droits de l'individu, qu'elles oppriment ou qu'elles protègent. La fragilité du processus inverse : le combat d'émancipation d'hommes échappant à ces ciments communautaires a parfois conduit certains au déni pur et simple de la possibilité même d'existence des peuples et des cultures de la Caraïbe, par défaut de lisibilité politique, par absence du souci prioritaire d'instituer l'État. Comme semble l'attester par exemple la naissance d'Haïti, que la victoire contre l'esclavage a d'abord instituée en société d'hommes libres sans État, dont dictature et démocratie se sont ensuite disputé la maîtrise. Car les élites ou les bourgeoisies en quête de pouvoir ont peine à concevoir par où s'inaugure et se légitime la puissance d'un peuple, par où s'assure et se protège son partage des maîtrises, quand l'une et l'autre n'ont pas d'abord pris les contours reconnus des pouvoirs d'un État. Partout dans la Caraïbe, le peuple a précédé l'État, et gagné sa liberté contre l'État colonial européen, à l'exemple du peuple haïtien. D'où parfois cette forme particulière qu'emprunte l'engagement politique du créateur dans ces îles qui ont depuis toujours édifié des cultures plus spacieuses que les frontières postérieurement circonscrites de leurs États : montrer qu'on peut bâtir une dignité sans le premier secours de la loi, une légitimité de peuple sans l'aval originel de la légalité, une identité plus largement délimitée que la carte d'identité. De là sans doute la constance de la participation des écrivains et artistes de toute la Caraïbe à toutes les Internationales de liberté du XXe siècle, de révolution russe en guerre d'Espagne, en tout point du tiers-monde à décoloniser.

En ce sens, les identités caribéennes se fondent en profondeur non pas sur le ressassement plaintif de l'enfer de l'esclavage, mais sur le rappel permanent de l'ambitieux combat d'humanité qu'elles entreprirent pour l'émancipation de tous les peuples esclaves. Combat qui n'était pas une jacquerie d'affamés, ni une croisade au nom des dieux, ni une idéologie à servir, ni un voisin à asservir, ni une île voisine à conquérir, une patrie à sauver, une race à élire, un terroir ancestral à protéger. Mais une révolte au nom de ce que, une fois exclu toutes ces références, il faut bien qualifier de *droits de l'homme,* dans leur plus pure et leur plus simple expression. Liberté pour tous les individus, égalité entre tous les humains, et surtout exigence vigilante de dignité, puisque c'est très spécifiquement le déni de cette dignité d'homme qui a servi de justification morale et d'alibi religieux aux formes américaines d'esclavage et de déportation. Résister à la déshumanisation originelle, c'était bien devoir aller au-delà des cris et des ruades de l'animal blessé, et, malgré l'infirmité des langues et des jarrets coupés, postuler la victoire de la danse sur les chaînes, du chant sur les coups, de l'amour sur les viols perpétrés. Présenter la chair humaine intacte sous la peau déchirée. Marronnage du cœur et du cerveau hors du corps abattu.

Oui, je suis bel et bien né de la volonté de ces hommes et de ces femmes de bouches cousues, de langages et de jarrets coupés à l'origine, mais conquérants ensuite d'un bouquet de langues, de danses et de musiques. Alliancées en douce dès les comptines du berceau en créole et en français : « Choubouloute » et « Chère Élise », « Ti zozio » et « Adieu foulards » ; puis l'espagnol et l'anglais des calypsos, rumbas et boléros dès l'enfance, des tendresses et des colères créoles et du brutal vouvoiement français des remontrances paternelles, des distributions de prix agrémentées de contes créoles et de poèmes parnassiens. Réunies dans un paysage suffisamment foisonnant pour additionner l'hommage de toutes les langues passantes ou passées, dominantes et dominées, depuis les mots vestiges échappés au génocide amérindien et aux déportations atlantiques pour les prénoms des fleurs et des îles : *Karukéra, Madinina,* des déesses et des diables, des eaux et des oiseaux. Langues réunies dans la sagesse des aînés : aussi loin qu'on se souvienne, la grand-mère illettrée célébrait chez l'enfant la venue à l'écriture, et jamais les anciens n'ont enseigné le mépris ou la défiance d'une langue et d'un savoir même ignorés d'eux.

Mais au contraire honneur et respect pour toute connaissance, et mépris de toute censure. L'amour de la musicalité de toute langue et la recherche du libre usage de tous les savoirs, même de ceux qui avaient été imposés. Sans raison à trouver pour comprendre que nous ne sommes pas fous de cousiner avec tant de parlers du monde et d'en créer un autre avec l'inédit créole, en volant aux langues propres les clés de nos dérades sauvages.

Cependant, on peut mesurer sans peine la fragilité d'une telle genèse initiée en quatre siècles d'oppression, enfermée dans l'étroit passage d'une géographie d'isolement insulaire, avec la tentation de s'aliéner tantôt à l'un, tantôt à l'autre des débris d'Europe imposée ou d'Afrique perdue, et l'édification d'une culture bâtie sur l'alternance du doute et de la confiance, de l'espoir et du mépris : *énigme parmi les eaux!* C'est ainsi que dans les sociétés antillaises, le processus de leur genèse, dont l'évidence apparaît pourtant par le simple spectacle de leur créativité culturelle, est souvent nié, renié, ou au moins occulté par une rhétorique politique et un certain discours intellectuel fondés sur le déni de l'existence même de ces sociétés, l'affirmation d'une indépassable aliénation originelle de ces cultures et de ces peuples, dernier espoir des gestionnaires des ruines coloniales aveuglés d'omniscience naïve, répandant l'épidémie pour offrir leur vaccin. Aussi, très souvent, l'identité antillaise est-elle soumise au questionnement récurrent sur sa légitimité et sur sa possibilité même d'exister spécifiquement. Par exemple, comment peut-on écrire en créole, «langue dominée», sans longue tradition écrite ? Comment peut-on écrire en français, en anglais ou en espagnol, «langues dominantes», imposées dans la Caraïbe par les colonisateurs ? Comment peut-on guérir du silence les désirs et les chairs comprimés entre les «peaux sauvées» masquées de blanc des têtes décrêpées, les bouches fardées contre le noir du sang et contre l'évidence des couleurs africaines ? Comment peut-on livrer un chant d'amour et de liberté sur un violon issu d'Europe et un résidu de tambour africain ? Comment sans désespoir ou sans spleen ou sans blues : « apprivoiser avec des mots de France/ce cœur qui m'est venu du Sénégal », comme l'écrivait avec humour le poète haïtien Léon Laleau. Tant de faux débats sont nés de ces questions qu'il importe de démasquer les préjugés concernant l'origine et la légitimité de cette identité, de démasquer l'aliénation de ceux qui ne savent définir nos peuples que par leur état d'*aliénation* ou au mieux de *quête d'identité,* dans la bouche de ceux qui ne voient qu'âmes rases et têtes baissées chez les héritiers de l'esclavage vaincu.

En réalité, nous savons aujourd'hui que l'*identité* de tout être ou de tout peuple ne se résume pas à sa *carte d'identité,* qu'aucune culture n'est jamais totalement prisonnière de l'État qui vise à la contrôler de droit, et qu'une culture vivace s'édifie à son profit par une transgression libre des langues, des palettes et des instruments, des souvenirs et des mythes qui passent à sa portée, et qui d'objets de maîtrise et d'aliénation deviennent sujets de libération, *armes miraculeuses* dont le pouvoir de résistance se juge à l'aune du pouvoir de création de ceux qui les ont conquises.

Ce que nous avons toujours appris, dans la Caraïbe, c'est à faire notre miel du pollen des continents, et nos antidotes à partir de leurs poisons.

C'est bien par ses cultures que la Caraïbe atteste son existence. Tout véritable créateur sait très bien qu'il n'aurait pas pu écrire une ligne, ni tracer une esquisse, ni composer une danse ou une mélodie, si ce peuple-là n'existait pas, *malgré tant et tant de malgré,* comme la référence première de sa créativité. L'engagement de l'artiste réside d'abord en cela : refuser d'être prisonnier de l'histoire de sa prison, et, avec sa part de liberté, d'imagination, témoigner pour ces originales communautés, et montrer qu'on peut, comme l'indiquait le poète : *se bâtir* une dignité.

> Le pays dépend bien souvent du cœur de l'homme : il est minuscule si le cœur est petit, et immense si le cœur est grand. Je n'ai jamais souffert de l'exiguïté de mon pays, sans pour autant prétendre que j'ai un grand cœur. Si on m'en donnait le pouvoir, c'est ici même, en Guadeloupe, que je choisirais de renaître, souffrir et mourir. Pourtant, il n'y a guère, mes ancêtres furent esclaves en cette île à vol- cans, à cyclones, à moustiques, à mauvaise mentalité. Mais je ne suis pas venue sur terre pour soupeser toute la tris- tesse du monde. À cela, je préfère rêver, encore et encore, debout au milieu de mon jardin, comme le font toutes les vieilles de mon âge, jusqu'à ce que la mort me prenne dans mon rêve, avec toute ma joie…

Cette présentation de notre commune Guadeloupe par Simone Schwarz-Bart, dès la première page de son roman *Pluie et Vent sur Télumée-Miracle,* énoncée par la vieille héroïne qui illumine le livre de sa présence, comme la vieille M'an Tine éclaire le petit coin de Martinique que célébrait *La Rue Cases-Nègres* de Joseph Zobel, définit bien l'une des caractéristiques des cultures antillaises, délicatement enraci- nées dans *le plus petit canton de l'univers* et qui en même temps semblent vouloir parler au monde du monde tout entier, universelles comme par surcroît et comme par modes- tie de racines, l'héroïne de *Pluie et Vent sur Télumée Miracle* renvoyant son écho à toute autre vieille paysanne enracinée dans un hameau des cinq continents.

Arriver à vaincre la fatalité de l'origine perdue. Arriver à recréer une terre d'accueil à partir d'une émigration forcée, arriver à s'enraciner au lieu même de l'exil et de la déportation. Le défi surhumain qui a créé les Antillais et tous les Caribéens, et qui les a enracinés dans leurs poussières d'îles, n'est en un certain sens rien de plus que ce qu'accomplit tout être humain partout sur terre pour résister à l'oppression, au déracinement, à l'héritage saccagé. Mais le fait que cela ait lieu à la petite échelle humaine de quatre siècles et de quelques kilomètres carrés d'espace peut rappeler la présence aux quatre coins du monde de vieilles fileuses créoles tramant toutes les cultures sur l'universel métier à tisser sèves et sang.

Quelques lectures suivies…

Miguel-Angel ASTURIAS
   L'Ouragan, Gallimard, 1993.
Jack BERTHELOT, Martine GAUMÉ
   Kaz Antiye, Jan moun ka rété. La case, un mode d'habiter, Éd.
   Perspectives créoles, Guadeloupe, 1989.
   Caribbean Style, Crown Publishing Group, 1999.
Lydia CABRERA
   *La Forêt et les Dieux. Religions afro-cubaines et médecines
   sacrées à Cuba,* trad. B. de Chavagnac, J.-M. Place, 2003.
   Carribean Literature. An anthology, ed. by G. R. Coulthard,
   University of London Press, 1966.
Aimé CÉSAIRE
   La Poésie, Éd. du Seuil, 1994.
   Toussaint Louverture, Présence africaine, 1962.
   Et les chiens se taisaient, Présence africaine, 1956.
   Une tempête, Éd. du Seuil, 1969.
   Discours sur le colonialisme, Présence africaine, 1956.
Suzanne CÉSAIRE
   Le Grand Camouflage et Autres Textes, Revue *Tropiques,* Fort-
   de-France, 1941-1945.
Hélène CIXOUS
   La Jeune Née, Bourgois, 1975.
   Photos de racines, Éd. des Femmes, 1994.
Raphaël CONFIANT, Patrick CHAMOISEAU
   *Lettres créoles : tracées antillaises et continentales de la littéra-
   ture, 1635-1975,* Gallimard, coll. «Folio», 1999.

Claude COUFFON
Poésie cubaine du XXᵉ siècle, Patino, Genève, 1997.

Léon-G. DAMAS
Poètes d'expression française, Anthologie, Éd. du Seuil, 1947.
Pigments-Névralgies, Présence africaine, 1972.
Black-label, Gallimard, 1956.

René DEPESTRE
Le Métier à métisser, Stock, 1998.
Œuvres poétiques complètes, Seghers, 2006.

W. E. B. DU BOIS
Âmes noires, Présence africaine, 1956.
Les Âmes du peuple noir, Éd. ENS, Rue d'Ulm, 2004.

Frantz FANON
Peau noire, Masques blancs, Éd. du Seuil, 1952.

Jean-Claude FIGNOLÉ
Vœu de voyage et Intention romanesque, Éd Fardin, Haïti, 1978.

FRANKETIENNE
Mûr à crever, coll. Spirale, Haïti, 1968 ; rééd. Éd. Ana, Bordeaux, 2004.
Les Métamorphoses de l'oiseau schizophone, Éd. Vents d'ailleurs, 2005.

Édouard GLISSANT
Le Discours antillais, Éd. du Seuil, 1981.
Pays rêvé, Pays réel, Poèmes, Gallimard, 1994.

Gilbert GRATIANT
Fables créoles et Autres Écrits, Stock, 1996.

Nicolás GUILLÉN
En tournant la page. Mémoires, trad. Annie Morvan, Claude Couffon, Actes Sud, 1988.
Le Chant de Cuba, poèmes, trad. Claude Couffon.

Wilson HARRIS
Le Palais du paon, trad. J.-P. Durix, Le Serpent à plumes, 1994.
L'Échelle secrète, Belfond. 1981.

Lafcadio HEARN
Trois Fois bel conte, Calivran Anstalt, Suisse, 1978.

C. R. L. JAMES
Les Jacobins noirs. Toussaint Louverture et la révolution de Saint-Domingue, Éd. caribéennes. 1984.

Wifredo LAM

Catalogue de l'exposition de la galerie Boulakia, Paris 2004, Introduction par Daniel Maximin : *W. Lam, l'oiseau du possible,* d'où provient l'étude sur Lam du présent ouvrage.

Lam métis, catalogue de l'exposition du musée Dapper, par Christiane Falgayretttes-Leveau, Dapper, 2001.

Catalogue raisonné of the printed Work of Wifredo Lam par Lou Laurin-Lam, Eskil Lam, Acatos. Genève. vol. 1, 1996, vol. 2, 2002.

Légitime Défense, revue, numéro unique 1932, rééd. J.-M. Place, 1979.

Michel LEIRIS

Contacts de civilisation en Martinique et en Guadeloupe, Gallimard / UNESCO, 1955.

Claude MC KAY

Banjo, 1931, rééd. André Dimanche.

Home to Harlem, Quartier noir, trad. Louis Guilloux, Rieder, Paris, 1932.

José MARTÍ

Obras completas, Edcion nacional, La Habana, 1963.

René MÉNIL

Tracées, suivi de *Antilles déjà jadis,* J.-M. Place, 1999.

V.-S. NAIPAUL

Miguel Street, Gallimard, coll. « L'imaginaire », 2000.

Une maison pour monsieur Biswas, Gallimard, coll. « L'imaginaire », 1999.

Un drapeau sur l'île, Gallimard, 1992.

Paul NIGER

Initiation, poèmes, Seghers, 1954.

Les Antilles et la Guyane à l'heure de la décolonisation, Éd. Soulanges, Paris, 1961.

Fernando ORTIZ

El Engano de las razas, 1946, rééd. Instituto del libro, La Habana, 1974.

La Africania de la música folklorica de Cuba, 1950.

SAINT-JOHN PERSE

Œuvres complètes, Gallimard, coll. « Bibl. de la Pléiade », 1972.

Vincent PLACOLY

Frères volcans, Chronique de l'abolition de l'esclavage, La Brèche, 1983.

Une journée torride, Essais, La Brèche, 1991.

Jean PRICE-MARS
Ainsi parla l'oncle, Imprimerie de Compiègne, 1928, Imprimeur II, Port-au-Prince, 1998.
De Saint-Domingue à Haïti, Présence africaine, 1959.
Présence africaine, revue, numéro spécial, 121-122, 1982, *Présence Antillaise, Guadeloupe, Guyane, Martinique*, Anthologie coordonnée par Daniel Maximin.
Lambert-Félix PRUDENT
Kouté pou tann! Anthologie de la nouvelle poésie créole, Caraïbe, océan Indien, Éd. caribéennes, 1984.
Roselyne RIBÈRE
La Bonne Cuisine des Antilles, Solar, 1992.
Jacques ROUMAIN
Œuvres complètes, Collection Archivos, 2003.
Sonny RUPAIRE
Cette igname brisée qu'est ma terre natale, gran parad ti cou baton, Poèmes, Éditions caribéennes, 1982.
Léopold-Sédar SENGHOR
Anthologie de la nouvelle poésie nègre et malgache, PUF, 1948.
Simone SCHWARZ-BART
Pluie et Vent sur Télumée Miracle, Éd. du Seuil, 1972.
Guy TIROLIEN
Balles d'or, Présence africaine, 1982.
Feuilles vivantes au matin, Présence africaine, 1977.
Tropiques, revue culturelle, 1941 à 1945, Fort-de-France, rééd. en fac-similé, Éd. J.-M. Place, 1978.
Derek WALCOTT
In a Green Night. Poems 1948-1960, Cape, 1962.
Le Royaume du fruit-étoile, poèmes, trad. Claire Malroux, Circé, 1992.
Café Martinique, trad. Béatrice Didier, Éd. du Rocher, 2004.
Eric WILLIAMS
Histoire des Caraïbes, Présence africaine, 1975.
Joseph ZOBEL
La Rue Cases-Nègres, Éd. J. Froissart, 1950, Présence africaine, 1974.

Sommaire

RÉALISATION : PAO ÉDITIONS DU SEUIL
IMPRESSION : NORMANDIE ROTO IMPRESSION S.A.S. À LONRAI
DÉPÔT LÉGAL : FÉVRIER 2006. N° 63095 (060192)
IMPRIMÉ EN FRANCE